profession : Auteur

profession : Illustratrice

entre autres compétences … une bonne humeur …

profession : Dessinateur

L'Europe dans tous ses états

Ariane d'Appollonia. Profession : Auteur
De la génération nourrie au sein d'Europa dès son plus jeune âge, ce jeune auteur, professeur à Sciences Po, a fourni la matière première indispensable au récit.

Renaud Alberny. Profession : Humoriste
Consul honoraire de la planète Rhogon auprès de l'Union européenne, gagman semi-rural, il a imaginé ce récit. Entre autres compétences : un solide amour de son prochain et une bonne humeur qui ravigote.

Dominique Boll. Profession : Dessinateur
Après des études fulgurantes, sanctionnées par une absence remarquable de diplôme, il s'obstine dans le dessin de presse, l'illustration de livres et la transcription sur guimbarde de la symphonie dite *Titan* de Gustav Mahler. Accessoirement : ne sait pas conduire et cela fait trente ans que ça dure.

L'Europe dans tous ses États
Éditeur : Jeanne Failevic
Maquettiste : Maryline Gatepaille

Les DocuDéments
Rédaction en chef : Clotilde Lefebvre et Françoise Favez
Coordination illustration : Jean-Philippe Chabot
Coordination maquette : Alain Barreau
Coordination presse : Claire Babin

Dépôt légal : mai 1997
Numéro d'édition : 79803
ISBN : 2-07-050759-9
Loi n° 49-956 du 16 juillet 1949 sur les publications destinées à la jeunesse
Imprimé par la Société Nouvelle Firmin-Didot (38545)

L'EUROPE
DANS TOUS SES ÉTATS

* ET PAS DE GAFFES CETTE FOIS

Introduction

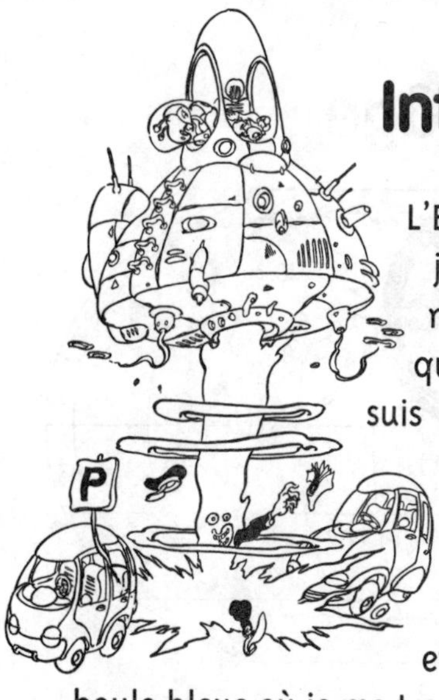

L'Europe, il y a peu, je n'en avais jamais entendu parler. Je n'étais même pas au courant que la Terre existait. Normal. Je suis né sur Rhogon, une adorable petite planète située à quelques parsecs de Deneb, dans la constellation du Cygne, à 1 600 années-lumière et des poussières de la petite boule bleue où je me trouve actuellement.

Mes chefs, qui savent toujours tout, avaient entendu parler de la Terre. Projetant peut-être de venir y réaliser de bonnes affaires, ils sont devenus curieux de cette Europe apparemment en pleine construction.

«Glops, m'ont-ils dit, on a du boulot pour toi.»

Et aussi sec, je me suis retrouvé sur Terre.

ORDRE DE MISSION

Glops, tu ne nous fais ni carambouille ni mistouille, tu files en Europe et tu nous racontes tout ce qu'on veut savoir. Si tu nous caches quelque chose, on te désintègre. Si tu nous barbes, on te pulvérise. Presse-toi. Allez hop ! Tes chefs

Europe premier âge

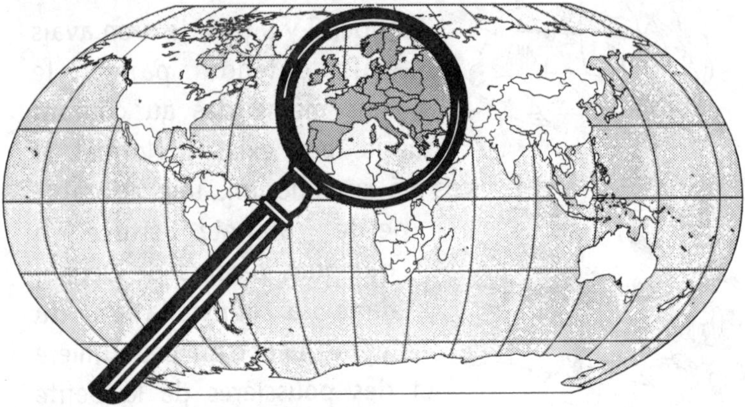

Vue de l'espace, l'Europe n'est pas grand-chose. Il faut bien viser pour ne pas rater le plus petit et le plus biscornu des cinq continents. L'océan Arctique au nord, l'Atlantique à l'ouest, la Méditerranée au sud, la mer Caspienne et l'Oural à l'est : je survole l'objectif.

Au premier abord, la grande diversité de l'Europe me frappe : diversité des sols et des climats, des coutumes et des cultures, des modes de vie et des richesses. Inutile de chercher une unité linguistique, ethnique ou économique. Il n'y en a pas.

Pour compliquer encore le tout, il y a deux manières d'envisager l'Europe : soit le continent européen, soit ce qu'on appelle l'Union européenne.

Un peu perdu, je commence à interroger les gens. Non seulement personne n'est capable de m'expliquer exac-

tement ce qu'est l'Union européenne mais, en plus, ils ne sont pas d'accord entre eux. Certains la jugent nulle, d'autres ne jurent que par elle. Comment y comprendre quelque chose ? Seule solution : aller demander à Europe elle-même ce qu'il en est exactement.

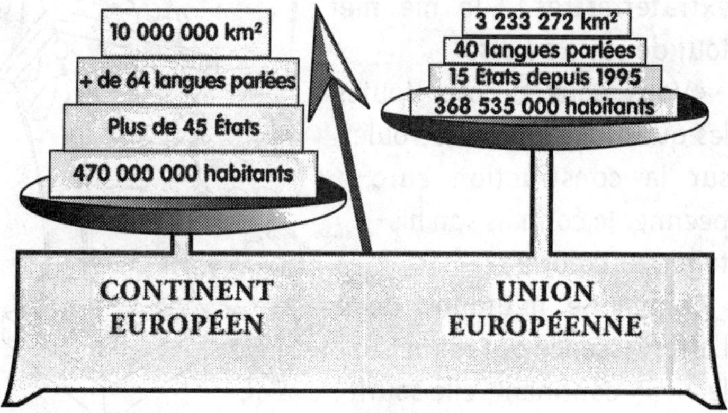

Europe se fait voir chez les Grecs

C'est le copain d'un copain, Hésiode, un poète grec de la fin du IXe siècle av. J.-C., qui m'a présenté Europe, une princesse phénicienne. L'histoire d'Europe est à peine croyable. Fille du roi Agénor, petite-fille du dieu Poséidon, elle fit, il y a bien longtemps, complètement craquer son grand-oncle Zeus, le dieu suprême du panthéon grec. Pour parvenir à ses fins, cet invétéré coureur de jupons se transforma en taureau, enleva Europe et la conduisit en Crète, où il lui fit trois enfants.

Après ça, on s'étonnera que les Européens soient perturbés. Ils sont à la fois les fils de Zeus et ses arrière-petits-neveux !

Princesse Europe

J'adore les princesses phéniciennes. Elles ont une manière charmante d'accueillir les extraterrestres. Elle me met tout de suite à l'aise.

«Vous pouvez poser toutes les questions que vous voulez sur la construction européenne. Je connais son histoire par cœur.»

Comme je m'étonne de l'effervescence qui règne sur le vieux continent, elle sourit :

«Ce n'est rien. Depuis le temps, j'ai l'habitude. Les hommes, vous savez...»

Et comme justement je ne sais pas, elle commence à m'expliquer.

Démocratie européenne

Il y a des milliers d'années, l'Europe n'était pour les habitants du Moyen-Orient que l'Ereb, la «Terre de l'obscurité», qui désignait les terres situées à l'occident. Peu connue, et située du côté où le soleil se couche, elle commença à s'éclairer grâce aux Grecs. En même temps qu'ils inventaient la démocratie, ils commençaient à parler de l'Europe. Elle n'était alors, au VIIe siècle av. J.-C., que le nord de la Grèce continentale. Puis, au fur et à mesure que les Grecs colonisèrent de nouveaux territoires, elle prit ampleur et corps.

● JEU ●

TEST DÉMOCRATIQUE

À Athènes :

1. tous les citoyens de la cité se réunissaient pour voter les lois à main levée ;

2. les femmes, les esclaves et les travailleurs étrangers à la cité étaient considérés comme des citoyens et avaient le droit de voter ;

3. tous les citoyens de la cité pouvaient se présenter et voter. C'était la démocratie directe.

À l'écrasante majorité des suffrages, les réponses suivantes sont considérées comme exactes.

LA SÉANCE EST LEVÉE

Réponses : 1. Vrai 2. Faux 3. Vrai

Ils sont flous ces Romains

À l'époque romaine, Europe s'est crue complètement oubliée. On ne parlait presque plus d'elle, même si la plupart des territoires de l'Empire se situaient sur ses terres. Il faut dire que les Romains s'intéressaient plus à la politique qu'à la géographie. Or, il n'y avait pas d'unité politique européenne, et leurs connaissances géographiques étaient encore un peu floues.

Au IIe siècle av. J.-C., Ptolémée, un géographe grec, aurait juré que la Scandinavie était une île.

Les Romains (des personnes pourtant tout à fait convenables !) ont piqué aux Athéniens l'idée de démocratie qu'ils ont arrangée à leur sauce et finalement améliorée. Si à Athènes les femmes, les esclaves et les travailleurs étrangers n'avaient pas le droit de voter, à Rome la citoyenneté était accordée aux plébéiens, «ceux qui n'ont pas d'ancêtres». En 212, l'empereur Caracalla accorda les droits de citoyen romain à tous les hommes libres de l'Empire. Cette forme de démocratie prit le nom de *Res publica*, «la chose du peuple».

Lundi 17	Mardi 18	Mercredi 19	Jeudi 20	Vendredi 21	Samedi 22	Dimanche 23
Lunedì	Martedì	Mercoledì	Giovedì	Venerdì	Sabato	Domenica
Lunes	Martes	Miércoles	Jueves	Viernes	Sábado	Domingo
Lunis dies*	Marti dies*	Mercoris dies*	Jovis dies*	Veneris dies*	Sambati dies*	Dies dominicus*
* en latin : jour de la lune	* en latin : jour de Mars	* en latin : jour de Mercure	* en latin : jour de Jupiter	* en latin : jour de Vénus	* en latin : jour de Sabbat	* en latin : jour du Seigneur

Le français, l'italien, l'espagnol... viennent du latin.

La croix et la bannière

Se rappelant le temps du Moyen Âge, Europe se sent revivre. On utilisait de plus en plus le terme «Europa», me dit-elle. En 769, Isidore le Grand décrivit les «Europenses» luttant contre les Sarrasins à Poitiers. Plus tard, l'empereur Charlemagne fut nommé «Père de l'Europe».

Puis ce fut le temps des croisades, et les frontières de l'Europe (appelée l'Occident) se confondirent avec celles de l'extension du christianisme. Durant des siècles, cette religion fut un élément d'unité «européenne» mais aussi un facteur de division. La première rupture ne date pas d'aujourd'hui. En 1054, l'Église de Constantinople se séparait de l'Église de Rome. D'un côté les Grecs, de l'autre les Latins.

L'EMPIRE DE CHARLEMAGNE

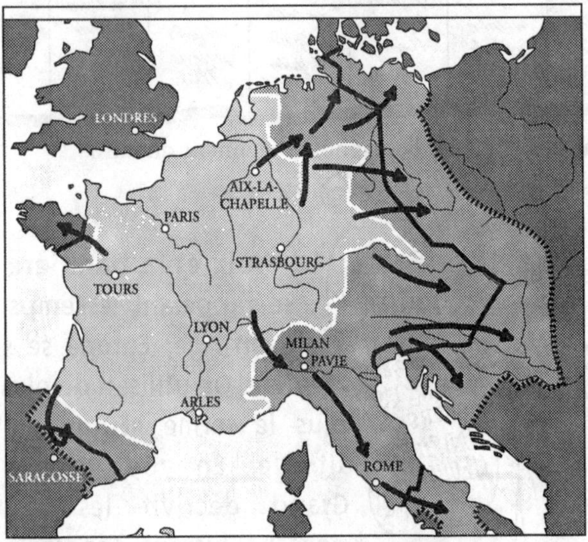

Possessions franques en 768 — Conquêtes de Charlemagne — Régions occupées temporairement

Charlemagne (747-814) possédait un grand empire, mais il était moins grand que l'Union européenne. Quels pays ou régions manque-t-il ?

Réponses : la Grèce, le Danemark, la Finlande, le Royaume-Uni, l'Irlande, l'Italie du sud, une partie de l'Espagne et le Portugal.

«Homo europaenicus»

Europe garde une grande nostalgie de la Renaissance. Certes, elle ne compte plus les guerres qui ont alors ravagé le continent. Elle préfère se rappeler le formidable foisonnement artistique et scientifique qui commença en Italie au XVe siècle et se propagea ensuite dans toute l'Europe. Longtemps après les Grecs, les savants et les artistes redécouvraient que l'homme – et non pas Dieu – était le centre de la connaissance, de la culture. L'Église avait beau faire, la science et le savoir se diffusaient en Europe. Merci à l'imprimerie.

European «way of life»

Tandis que de véritables génies montés sur pattes parcouraient l'Europe, des navigateurs, toujours plus hardis – Vasco de Gama (portugais), Cortés (espagnol), Christophe Colomb (italien), Jacques Cartier (français) – partaient à la conquête de nouveaux continents.

L'Amérique, l'Afrique, l'Asie, le lointain Pacifique perdaient peu à peu leurs mystères, et la culture européenne s'exportait dans le monde entier. Toujours à la recherche d'horizons nouveaux, l'homme n'ignorait plus que la Terre était ronde, même s'il doutait encore qu'elle tournât.

En tout cas, les affaires marchaient bien. Trafic d'or, d'épices ou d'esclaves, la richesse des marchands n'avait pas d'odeur. Au nom de Dieu et du saint profit, on massacrait à tour de bras les «sauvages» et autres «naturels» peuplant les colonies. Les monnaies circulaient au moins aussi vite que les idées.

Tête basse et à genoux

Europe soupire. Au XVIe, le continent vécut une division religieuse importante. Les papes n'avaient de leçons à donner à personne. On voyait à Rome plus de luxe et de dépravations que de charité chrétienne. Révoltés, Luther puis Calvin incitèrent leurs fidèles à quitter l'Église romaine. Protestant contre Rome, ils fondèrent une Église réformée. D'où les guerres de Religion (1562-1598). En Angleterre, le roi Henri VIII fondait l'anglicanisme. Why ? Because of the pape qui ne voulait pas qu'il se remariât alors qu'il était déjà marié.

Brevet de citoyenneté européenne

En vertu des pouvoirs que lui ont transmis ses chefs, Glops accorde au Hollandais Érasme (1469-1536), le titre de citoyen européen.

Motif : Grand voyageur, cet humaniste a largement contribué à propager un message de tolérance dans toute l'Europe.

Europe + : A donné son nom au système Erasmus.

Manif à la Bastille

Et nous voici au siècle des Lumières m'affirme, Europe, l'œil brillant. La lumière vint d'abord d'Angleterre et se propagea sur tout le continent. Ah, les philosophes – l'Anglais Hume, l'Italien Vico, l'Allemand Wolff... Ah ! les savants – le Français Lavoisier, l'Anglais Watt... Ah ! les encyclopédistes – l'Anglais Chambers, le Français Diderot... Rien que du beau monde, rien que de belles idées ! Vive la science et vive la raison ! Avec l'*Encyclopédie* ou *Dictionnaire raisonné des sciences, des arts et des métiers* (un grand ouvrage collectif européen sous la direction de Diderot et d'Alembert) se répandit l'idée de «progrès».

Au passage, Europe tire un grand coup de chapeau à la France, patrie de la Révolution française et de la Déclaration des droits de l'homme et du citoyen. Fini les privilèges. La République remplace la Monarchie : Liberté, Égalité, Fraternité. Tous les citoyens forment la nation, et leur souveraineté est exprimée par les députés de l'Assemblée nationale. Le parlementarisme est né. Il fera une belle carrière.

Brevet de citoyenneté européenne

En vertu des pouvoirs que lui ont transmis ses chefs, Glops accorde à l'Allemand Beethoven (1770-1827), le titre de citoyen européen.

Motif : Digne représentant du mouvement romantique.

Europe + : L'*Hymne à la joie* tiré de sa neuvième symphonie est aujourd'hui l'hymne officiel de l'Union européenne.

Machines à sous

Et la révolution industrielle ! Ça y est, Europe me le martèle dans les oreilles. Partie de Grande-Bretagne au XIXe siècle, elle se propagea sur le continent. On exploitait de nouvelles techniques, on construisait des machines, on créait l'industrie. Ce fut la naissance de nouveaux travailleurs, les ouvriers, et le début du capitalisme et de toutes les grandes doctrines politiques, économiques et sociales.

• JEU •

Glops sort son dico et s'embrouille les pinceaux. Saurez-vous l'aider à retrouver les définitions ?

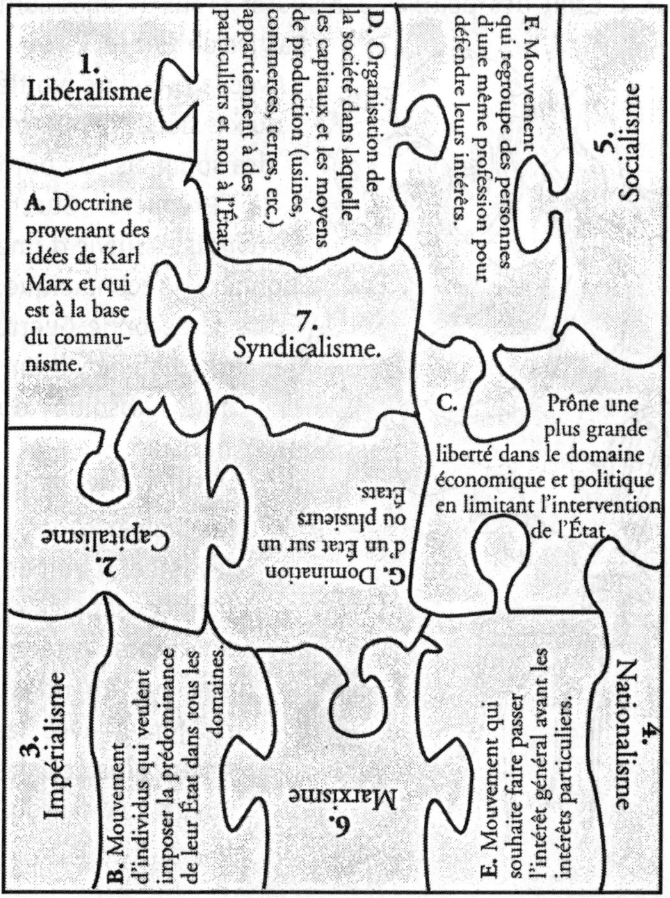
1. Libéralisme
A. Doctrine provenant des idées de Karl Marx et qui est à la base du communisme.
D. Organisation de la société dans laquelle les capitaux et les moyens de production (usines, commerces, terres, etc.) appartiennent à des particuliers et non à l'État.
F. Mouvement qui regroupe des personnes d'une même profession pour défendre leurs intérêts.
5. Socialisme
7. Syndicalisme.
C. Prône une plus grande liberté dans le domaine économique et politique en limitant l'intervention de l'État.
2. Capitalisme
G. Domination d'un État sur un ou plusieurs États.
3. Impérialisme
B. Mouvement d'individus qui veulent imposer la prédominance de leur État dans tous les domaines.
6. Marxisme
E. Mouvement qui souhaite faire passer l'intérêt général avant les intérêts particuliers.
4. Nationalisme

Réponses : 1C ; 2D ; 3G ; 4B ; 5E ; 6A ; 7F

Rayon boucherie

Europe le reconnaît : à la fin du XIXe siècle, l'Europe est la plus grande puissance mondiale, et la quasi-totalité du monde lui appartient. Les belles idées des Européens sur le droit des peuples à disposer d'eux-mêmes sont parties en fumée.

Avec la première moitié du XXe siècle, on atteint des sommets. D'abord la Première Guerre mondiale, suivie d'une bonne crise économique, puis la Seconde Guerre mondiale et l'horreur absolue du nazisme.

L'Europe sortit du cauchemar groggy, dévastée, ruinée, déchirée, séparée en deux blocs antagonistes par un rideau de fer et avec les Américains et les Russes à la maison.

Dessine-moi une Europe

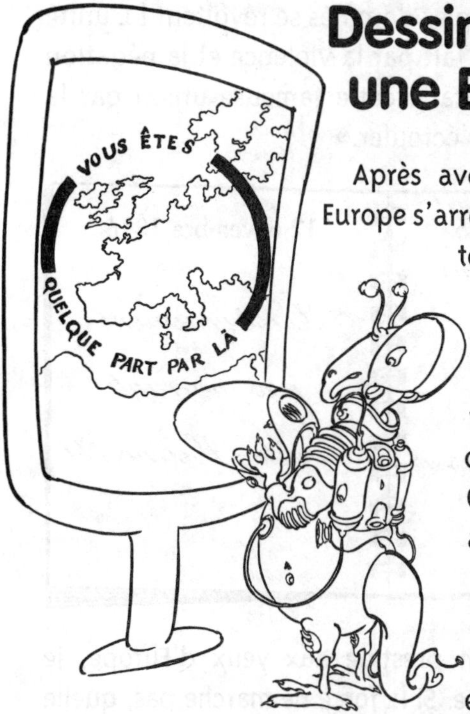
VOUS ÊTES
QUELQUE PART PAR LÀ

Après avoir beaucoup parlé, Europe s'arrête un instant puis se tourne vers moi.

«Glops, si vous deviez construire L'Europe, que feriez-vous donc ?» me demande-t-elle.

Comme je la regarde avec des yeux ronds, elle précise la question :

«Quelle méthode emploieriez-vous pour unifier les différents pays qui la composent ?

— Facile, j'utiliserais la force. C'est la méthode la plus répandue dans le cosmos. Le plus fort impose sa loi au plus faible, et basta !»

Europe soupire. Je ne sais pas pourquoi, j'ai l'impression de la décevoir un peu.

«Charlemagne et Napoléon ont agi ainsi. Ils ont essayé de la construire par la force. C'est la plus mauvaise des solutions.

— Pourquoi ?

— Parce que les peuples dominés se révoltent ! L'unité qu'on leur impose se fait par la violence et la négation de leurs droits. Résultat : cette fameuse union par la force ne tarde pas à s'écrouler. »

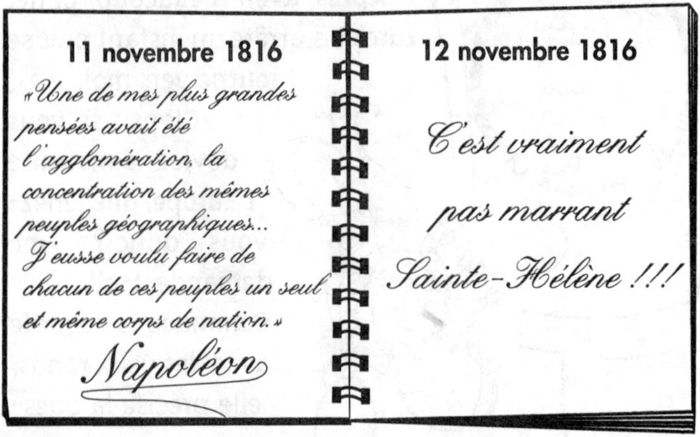

11 novembre 1816
« Une de mes plus grandes pensées avait été l'agglomération, la concentration des mêmes peuples géographiques... J'eusse voulu faire de chacun de ces peuples un seul et même corps de nation. »
Napoléon
12 novembre 1816
C'est vraiment pas marrant Sainte-Hélène !!!

Pour rehausser mon prestige aux yeux d'Europe, je réfléchis à toute vitesse. Si la force ne marche pas, quelle autre solution adopter ? J'ai trouvé : l'alliance politique. J'ai déjà vu faire ça dans de nombreuses galaxies. On négocie entre souverains et on se partage le gâteau, pardon, le territoire.

Cette fois, Europe me dévisage d'un air navré. Elle connaît bien cette méthode.

« Les alliances entre grandes puissances, j'ai déjà donné. On prétend trouver un équilibre, on promet de coopérer, on se jure la paix... Et puis on finit par recommencer à se taper dessus. »

La force

La loi

L'alliance

Bémol à la clé

Me voyant sceptique, elle me parle du «Concert des Nations», un ensemble d'accords passés, après la chute de Napoléon, entre les pays vainqueurs. Ils redessinèrent la carte de l'Europe pour répartir les populations, tracèrent de nouvelles frontières et se jurèrent unis par «les liens d'une éternelle fraternité véritable et indissoluble»... Tu parles ! C'était sans compter avec les rivalités entre les grandes puissances, avec le réveil des nationalismes, avec le désir des populations. Finalement, ce type d'alliance n'est qu'un simple marchandage entre souverains.

Concert des Nations

OUVERTURE

ALLEGRO MA NON TROP PIPO

1815 

Signature de la Sainte-Alliance entre les Russes, les Autrichiens et les Prussiens.

Taratata
ANDANTINO
1815
L'Angleterre rejoint le pacte.
Couac
ALLEGRO MODERATO
1822
L'Angleterre quitte le pacte.
Pouet
ALLEGRO NON MODERATO
1848
Ça se tend entre la Prusse et l'Autriche.
Zboing
FINITO ALLEGRO
1866
La Prusse flanque une pilée à l'Autriche.

Moi, toi, loi

Si on ne peut ni employer la force ni imposer une entente, quelle méthode reste-t-il ? J'aurais bien une idée, mais pas sûr que ça marche. J'ai entendu parler d'une alliance entre plusieurs planètes appelée «Institution interplanétaire», située quelque part dans une galaxie très lointaine qui, afin d'éviter les guerres, veille au respect des valeurs communes. Pas facile de faire prendre conscience aux peuples et aux dirigeants de la galaxie qu'ils ont des points communs. Il faut les persuader d'accepter les mêmes règles, de respecter les droits de l'extraterrestre et de bâtir un idéal de paix. Un truc de doux rêveur, quoi !

En écoutant ma troisième proposition, Europe se rappelle les premiers idéalistes qu'elle a connus. Dès le XVIIIe siècle, les partisans d'une union européenne pacifique firent appel aux idéaux des Lumières pour créer une «société européenne». Cette communauté devait associer les États selon le principe : un État = une voix. Elle prônait le respect des droits de l'homme, l'égalité devant la loi, condamnait la violence... Bref, elle proposait de construire l'Europe par la loi.

JEU

Parmi les trois ouvrages du XVIIIe, quel est l'auteur allemand, anglais, français ?

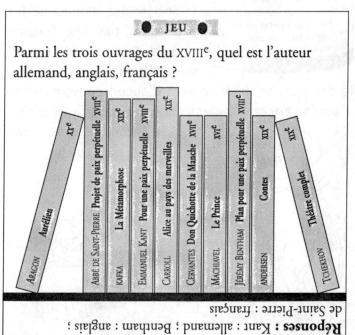

Réponses : Kant : allemand ; Bentham : anglais ; de Saint-Pierre : français

L'Europe dans la ligne de mire

SDN
Organisme non exclusivement européen
INGRÉDIENTS :
Coordination politique et économique
entre les États membres.
Prône le désarmement général et l'arbitrage
d'une Cour internationale de justice.
Prévoit des sanctions en cas
de violation des règles internationales.
À CONSOMMER AVANT 1939 • MISE EN BOÎTE EN 1919

La Première Guerre mondiale aurait pu définitivement décourager ces idéalistes rêvant d'une Europe unie et pacifiée. Bien au contraire, quelques hommes reprirent le flambeau et se battirent pour «mettre la guerre hors la loi».

Créée en 1919 dans le but de faire régner l'ordre et la paix, non seulement en Europe mais aussi dans le reste du monde, la Société des Nations ne fut cependant pas une franche réussite. Redessinant l'Europe sans tenir compte de la volonté des peuples, ne disposant d'aucun pouvoir réel ni d'aucune armée, elle demeura impuissante à empêcher la Seconde Guerre mondiale d'éclater.

T'AS ENCORE TRAÎNÉ À LA GUERRE !
MÊME PAS VRAI

L'Europe en 1919/1920

La France récupère l'Alsace et la Lorraine ; les Empires allemand, austro-hongrois et ottoman sont supprimés et de nouveaux États comme la Yougoslavie et la Tchécoslovaquie apparaissent. **Nouveaux États**

Un bon mouvement

Europe tient aussi à me rappeler qu'à côté des institutions politiques, un grand mouvement européen, «l'Union paneuropéenne», se développa et, dès 1923, plaida pour une union politico-économique, avec une Cour d'arbitrage, une union douanière et un Parlement européen. Son fondateur s'appelait Richard Coudenhove-Kalergi. Ses idées influencèrent des hommes politiques, notamment les ministres des Affaires étrangères français et allemand, Aristide Briand et Gustav Streseman.

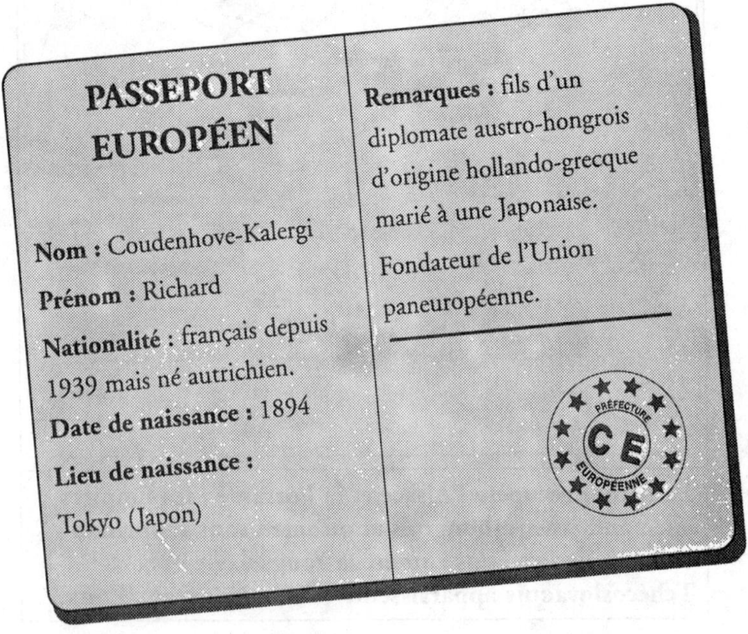
PASSEPORT EUROPÉEN
Nom : Coudenhove-Kalergi
Prénom : Richard
Nationalité : français depuis 1939 mais né autrichien.
Date de naissance : 1894
Lieu de naissance : Tokyo (Japon)
Remarques : fils d'un diplomate austro-hongrois d'origine hollando-grecque marié à une Japonaise.
Fondateur de l'Union paneuropéenne.
PRÉFECTURE
CE
EUROPÉENNE

INVITATION

M. Aristide Briand,
ministre français des
Affaires étrangères,

M. Gustav Streseman,
ministre allemand des
Affaires étrangères,

invitent les délégués allemands, belges, britanniques, français, italiens, polonais et tchécoslovaques à la conférence de Locarno pour «trouver un accord afin de préserver du fléau de la guerre leurs nations respectives et de pourvoir au règlement pacifique des conflits de toute nature qui viendraient éventuellement à surgir entre certaines d'entre elles».
Nous comptons sur votre présence

Aristide Gustave

La der des guerres

Avec une grimace de dégoût, Europe passe rapidement sur la Seconde Guerre mondiale. Une horreur totale. J'insiste pour savoir comment on en est arrivé là. Elle soupire puis me raconte comment la crise économique de 1929 a accéléré la montée du nationalisme et du fascisme. L'arrivée d'Hitler au pouvoir en 1933. La politique raciale nazie fondée sur une prétendue «supériorité des Aryens». Enfin, le déferlement de la peste brune...

Bref, au sortir de la guerre, le continent n'était pas beau à voir. Comme je m'en étonne, Europe m'explique que ruiné, il fut partagé en deux, lors de la conférence de Yalta, par les puissances victorieuses, les Russes et les Américains. À l'Est, les «démocraties» populaires ; à l'Ouest, les démocraties occidentales.

Les rêves de paix et d'unité semblaient partis en fumée. Pourtant, dès 1945, des européanistes convaincus reprirent leur bâton de pèlerin. Les «pères fondateurs» de l'Europe communautaire entraient en scène.

L'Europe en 1947

À la fin de la guerre, l'Europe est séparée en deux blocs par un «rideau de fer».

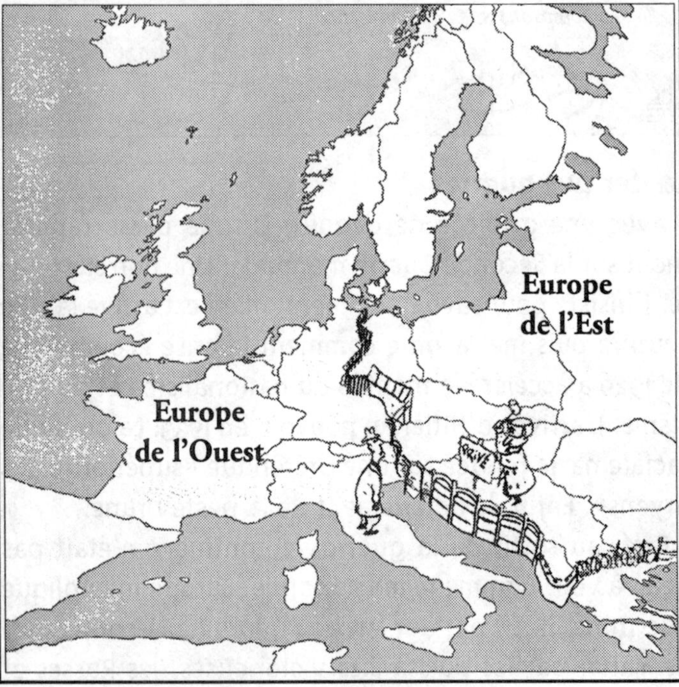

CINQ HOMMES ET UN COUFFIN

EN SALLE DEPUIS LONGTEMPS

LES PÈRES FONDATEURS DE L'EUROPE

KONRAD ADENAUER (1887-1967), Allemand
Il fut l'un des partisans actifs de la création de la Communauté économique européenne (CEE) et du rapprochement franco-allemand

JEAN MONNET (1888-1979), Français
Secrétaire général de la SDN de 1921 à 1923
À l'origine de tous les grands projets européens d'après-guerre comme la CECA

ALCIDE DE GASPERI (1881-1954), Italien
Président de Conseil (1945-1953)

ROBERT SCHUMAN (1886-1963), Français
Ministre des Affaires étrangères

WINSTON CHURCHILL (1874-1965), Britannique
Plusieurs fois ministre, il fut l'un des protagonistes de la victoire alliée à la fin de la Seconde Guerre mondiale

Rectificatif

Des erreurs se sont glissées dans les bulles, veuillez nous en excuser.
Voici les paroles énoncées par ces grands hommes :

ADENAUER (1) : «Je désire l'amitié entre la France et l'Allemagne comme base durable de l'Union européenne.»
MONNET (2) : «Nous ne coalisons pas des États, nous unissons des hommes.»
DE GASPERI (3) : «Nous devons tous agir pour que des institutions soient mises en place afin de reconstruire l'Europe et imposer le respect des droits de l'homme.»
SCHUMAN (4) : «Pour la première fois, l'Europe sort de ses rêves pour s'incarner dans un projet commun.»
CHURCHILL (5) : «Je vous dis donc : debout, l'Europe !»

Fichez-lui la paix

Europe me le confie avec une certaine honte : chaque guerre mondiale a commencé par un conflit au sein du continent. Aussi a-t-elle été particulièrement contente que le slogan des Européanistes devienne «Faire la paix = Faire l'Europe».

En 1946, Churchill propose la création des «États-Unis d'Europe». Il ajoute : «Pour mener à bien cette tâche urgente, la France et l'Allemagne devront se réconcilier.» Son discours remonte aussitôt le moral des Européens. Même s'il n'est pas évident pour les Français et les Allemands de fraterniser, voilà enfin une note d'espoir !

L'oncle d'Amérique

Europe m'avoue sans détour que le vieux continent a beaucoup perdu dans la guerre comme sa position de leader dans le monde. Désormais, à l'Ouest, les

Américains sont les «big boss». Des dollars pleins les poches, ils lui proposent, en 1947, une aide financière dans le cadre d'un programme de reconstruction : le plan Marshall.

Europe m'explique le système : les États-Unis prêtent de l'argent aux Européens. Avec cet argent, ces derniers sortent de la crise et achètent des produits américains pour rembourser leur dette. Banco ! crient seize pays d'Europe occidentale. Pour fêter ça, ils créent une organisation de coopération économique.

La Grande-Bretagne, la France, l'Italie, la République fédérale allemande, les Pays-Bas, la Belgique, le Luxembourg, l'Autriche, la Grèce, le Danemark, la Norvège, la Turquie, l'Irlande, la Suède, le Portugal et l'Espagne

sont heureux de vous annoncer la naissance de l'OECE

(l'Organisation européenne de coopération économique).

Les parents espèrent se porter mieux dès que possible.

Droit dans le mur !

Pour les Russes, le plan Marshall, c'est «niet» ! Ils refusent et interdisent aux huit pays qu'ils dominent de recevoir des capitaux américains. Pour faire pendant à l'OECE, ils créeront, deux ans plus tard, leur propre organisation économique.

Conformément au plan, l'URSS, la Pologne, la Hongrie, la Roumanie, l'Albanie, la Tchécoslovaquie, la Bulgarie, la République démocratique allemande et la Yougoslavie, la Mongolie, Cuba et le Viêt Nam ***ont donné naissance au CAEM*** *(Conseil d'aide économique mutuel). Les camarades ont intérêt à marcher droit.*

Le refus de l'Union soviétique aggrave la division de l'Europe en deux blocs que tout oppose : rivalités politique, idéologique, économique, stratégique et militaire. C'est le début de la «guerre froide». On ne se tape pas dessus, mais on ne sait pas bien ce qui nous retient.

C'est en serrant les fesses de peur d'une troisième guerre mondiale que l'Europe de l'Ouest s'avance sur le chemin de sa construction.

Fabrication maison

«Glops, me demande soudain Europe, savez-vous ce qui s'est passé en mai 1948 à La Haye ?

— Désolé, aucune idée.»

Elle ne peut croire que je n'aie jamais entendu parler du congrès de l'Europe. Pourtant, huit cents délégués de dix pays en réunion, ça se remarque ! Ça s'entend ! Surtout s'ils annoncent la création d'une Europe unie : libre circulation des hommes, des idées et des biens. Ce n'est pas rien ! En prime : une charte des droits de l'homme, la constitution d'une Cour de justice et d'un Parlement européen... Franchement, que demande le peuple ?

TIME
1948

50% of the the people of West Europe are for European Union project. In order of importance, the reasons are: first, the end of custom duties; second, the free movement of citizens; third, the European currency and last, the European army.

Maille à l'endroit, maille à l'envers

C'est bien beau de parler d'unité, dis-je à Europe, mais encore faut-il la réaliser. C'est vrai, me répond-elle, d'autant que les partisans de cette unité ne sont pas d'accord entre eux sur l'objectif final à atteindre. Il y a les fédéralistes qui prônent une Europe fédérale, et les unionistes, qui veulent une Europe confédérale. Résultat : cela fait des décennies que l'on discute à propos de la nature de l'Union européenne. Fédérale ? Confédérale ? Moitié-moitié ? Autre idée ?

Pour une simple coopération entre États souverains.
Pour qu'on ne puisse rien imposer à un État s'il n'est pas d'accord.
VOTEZ POUR UNE EUROPE CONFÉDÉRALE
Pour que les États confient une partie de leur souveraineté à l'Union européenne.
Pour la supranationalité.
VOTEZ POUR UNE EUROPE FÉDÉRALE
VIVE L'EUROPE FÉDÉRALE
VIVE L'EUROPE CONFÉDÉRALE
VIVE L'EUROPE

En avant toute !

Fédérale ou confédérale, quoi qu'il en soit, l'union n'attend pas. En 1949 est créé le Conseil de l'Europe, une véritable organisation politique de coopération intergouvernementale, domiciliée à Strasbourg. Comme je ne m'extasie sans doute pas assez, j'ai droit à la liste complète des dix pays fondateurs, à la présentation du Conseil des ministres et au récit de la séance inaugurale de l'Assemblée.

Quel rôle a cette Assemblée ? Ma question ramène Europe sur terre. Purement consultatif, marmonne-t-elle.

L'Assemblée se contente de donner son avis, et encore, seulement si le Conseil des ministres le lui demande. N'empêche, malgré cette coopération minimale, la Communauté européenne est en marche.

Conseil de l'Europe

QUESTIONNAIRE

- Respectez-vous les droits de l'homme ? OUI / NON
- Respectez-vous les libertés fondamentales[1] ? OUI / NON
- Êtes-vous un État européen ? OUI / NON

Si vous avez répondu non à une seule de ces questions, vous ne pouvez devenir membre de notre organisation.

1. Sont considérés comme libertés fondamentales : le droit à la vie, à la sûreté, à la propriété ; la liberté de pensée, de conscience, de religion, d'expression et de réunion.

Ruse de paix

Pour faire avancer la construction européenne, Jean Monnet a une méthode bien à lui : celle des petits pas. Europe me la résume. Tout d'abord, vous choisissez un domaine économique vital pour plusieurs États. Puis vous leur expliquez que l'union fait la force et vous leur proposez une coopération dans ce domaine. Enfin, vous mettez en place des institutions efficaces mais très spécialisées dont, c'est là l'astuce, vous élargissez petit à petit le rôle. Soit vous développez leur pouvoir, soit vous augmentez le nombre des pays membres. C'est comme vous voulez.

Si vous êtes habile, vous pouvez vous débrouiller pour que les États acceptent de donner une partie de leur souveraineté à des institutions européennes fédérales. Vous commencez par l'économie, vous continuez par la politique, le social, la culture... Et le tour est joué.

« L'Europe ne se fera pas d'un coup, ni dans une construction d'ensemble : elle se fera par des réalisations concrètes créant d'abord une solidarité de fait. Le rassemblement des nations européennes exige que l'opposition séculaire de la France et de l'Allemagne soit éliminée : l'action entreprise doit toucher au premier chef la France et l'Allemagne... »

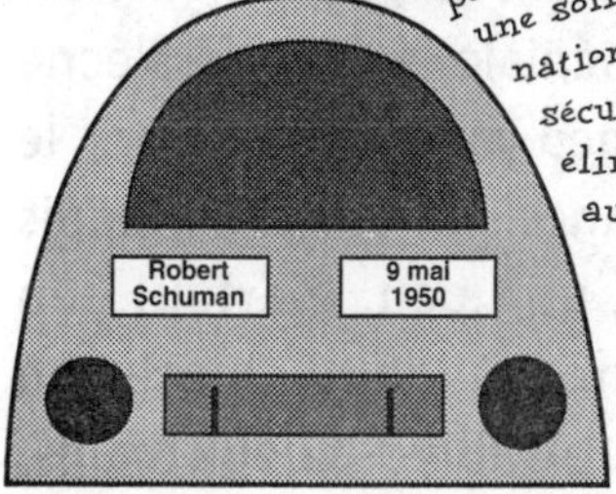

Théoriquement, la paix et la prospérité sont au rendez-vous.

MAINTENANT QUE NOUS AVONS RÉGLÉ NOS PETITS DIFFÉRENDS NOUS POURRIONS NOUS ATTAQUER AUX CHOSES SÉRIEUSES.

Au charbon avec un moral d'acier

Une chose est claire : si l'Allemagne et la France ne parviennent pas à se réconcilier, il n'y aura pas de paix durable. Aussi, concrètement, Monnet propose aux deux pays de coopérer pour, ensemble, produire et commercialiser leur charbon et leur acier. Schuman, alors ministre français des Affaires étrangères, s'emballe pour l'idée et, le 9 mai 1950, propose la création d'une Communauté européenne du charbon et de l'acier dotée d'une haute autorité commune pouvant imposer certaines de ses décisions aux États membres.

«Géniale la CECA !» s'écrie à peu près Adenauer, le chancelier allemand, tandis qu'un peu partout en Europe de l'Ouest on applaudit des deux mains.

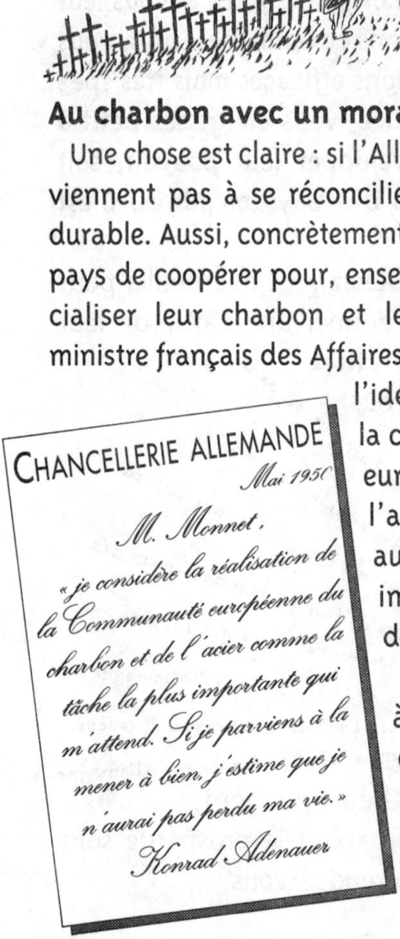
CHANCELLERIE ALLEMANDE

Mai 1950

M. Monnet,

« je considère la réalisation de la Communauté européenne du charbon et de l'acier comme la tâche la plus importante qui m'attend. Si je parviens à la mener à bien, j'estime que je n'aurai pas perdu ma vie. »

Konrad Adenauer

La meilleure attaque, c'est la défense

Fort de ce succès politique et économique, Monnet, toujours lui, monte un nouveau plan : former une défense commune.

Je me rappelle qu'Europe a déjà évoqué la «guerre froide». Deux blocs : l'Est et l'Ouest. Entre les deux, une peur terrible.

BORDEREAU DE LIVRAISON

ETS MONNET
EUROPE EXPRESS

Le 18 avril 1951

Conformément à votre commande du 9 mai 1950, veuillez trouver ci-joint le traité de la Communauté européenne du charbon et de l'acier.

La CECA vous est livrée en kit. Elle comprend une haute autorité, une assemblée et une cour de justice à monter vous-mêmes.

Signatures des clients

Luxembourg *Italie*
France *Pays-Bas*
Belgique
Allemagne de l'Ouest

Une seule protection pour les Européens de l'Ouest : le parapluie nucléaire des Américains garanti par le traité de l'OTAN.

Influencé par Monnet, René Pleven, le chef du gouvernement français, suggère en octobre 1950 la création d'une Communauté européenne de défense. Banco, disent les six pays de l'Europe du charbon et de l'acier qui, en mai 1952, signent un traité.

«Il n'y a plus qu'à sabler le champagne en paix», dis-je à Europe.

4 avril 1949

USA + Canada + Belgique
+ Danemark + France
+ Islande + Italie
+ Luxembourg + Norvège
+ Pays-Bas + Portugal
+ Royaume-Uni

= Organisation du traité de l'Atlantique Nord

+ Grèce + Turquie (1952)
+ RFA (1955)

«Les parties conviennent qu'une attaque armée contre l'une ou plusieurs d'entre elles survenant en Europe ou en Amérique du Nord sera considérée comme une attaque dirigée contre toutes les parties» (art. 5)

Solo français

Europe préfère m'avertir, le champagne n'est pas pour tout de suite. Proposée par les Français, cette défense commune va échouer à cause... des Français.

En fait, Monnet et Pleven avaient un peu surestimé l'enthousiasme de leurs compatriotes. Cinq ans après la guerre, l'Allemagne leur faisait encore peur. De plus, la France était en pleine crise de décolonisation et avait la guerre d'Indochine sur le feu. Non, franchement non, après des mois et des mois de discussions, l'Assemblée nationale française refuse le traité de la CED. Une belle claque ! Presque cinquante ans plus tard, l'Union européenne ne possède toujours pas de défense commune et demeure impuissante quand on s'étripe à ses frontières.

Une Europe à l'économie

Monnet a compris. Il démissionne de la CECA mais ne se décourage pas. Puisque les États refusent de coopérer dès que l'on sort des questions économiques, restons-y. Simplement, soyons plus ambitieux que la CECA.

Et c'est reparti.

Tout d'abord, une nouvelle communauté spécialisée dans l'énergie atomique, Euratom. Ensuite, toujours plus fort, une communauté économique et pas n'importe laquelle :

the Communauté économique européenne.

Baba devant la communauté

> **CURRICULUM VITAE**
>
> NOM : Communauté économique européenne
>
> SURNOM : Marché commun ou CEE
>
> Née le 25 mars 1957 à Rome
>
> QUALIFICATION : union douanière
>
> HOBBY : supprimer les frontières commerciales entre les pays, libéraliser la circulation des marchandises, des hommes et des capitaux. Mettre en place les premières politiques communes.

Europe ne résiste pas au plaisir de me faire feuilleter l'album-photo de la Communauté. Sur le premier cliché, un peu jauni, six pays sont réunis : ils ont décidé de se regrouper pour redresser leur économie. Europe les entend encore dire :

«On a une superidée pour favoriser nos produits. On va taxer ceux venant des autres pays !»

Sur la deuxième photo, on voit les mêmes, un sourire aux lèvres :

«Tant qu'on y est, on va organiser un grand marché, juste entre nous.»

L'EUROPE AU BAIN (DÉTAIL)

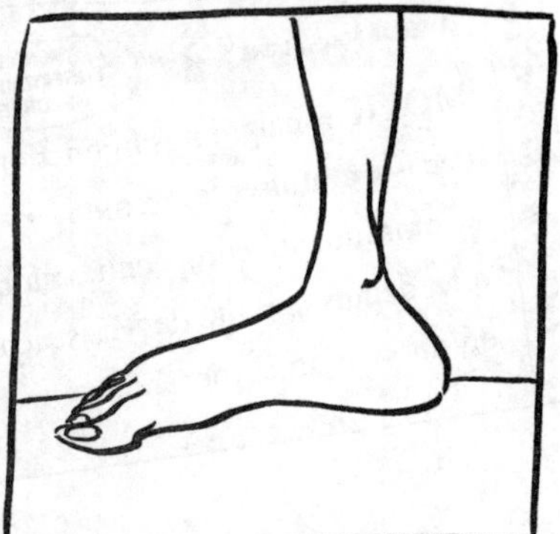

Sur les clichés suivants, la famille s'est agrandie. Les six sont devenus neuf, puis douze. Pas étonnant, m'explique Europe. Comme le Marché commun donnait d'assez bons résultats, les autres ont voulu en profiter. Là, ils sont tous autour d'une table et ils font des plans :

«Et si on faisait une vraie communauté ! Avec des lois communes, une monnaie commune, une sécurité commune... Et si on était tous des citoyens de cette Communauté...»

Europe a fait encadrer une photo prise à Maastricht, aux Pays-Bas, car elle immortalise les douze en train de franchir le pas. C'est l'Union et cochon qui s'en dédit ! On ne fera plus machine arrière !

Pour prendre le dernier cliché en 1995, Europe a dû s'offrir un appareil panoramique car trois nouveaux membres ont rejoint le club. Mais Europe s'inquiète : quand ils seront vingt, vingt-neuf, trente... ne devra-t-elle pas passer au grand-angle pour les avoir tous sur la même photo ?

IMPRIMERIE NATIONALE
LA CONTRAVENTION RELEVÉE À VOTRE ENCONTRE ENTRE DANS LE CAS SUIVANT :
AMENDE FORFAITAIRE
AMENDE FORFAITAIRE MAJORÉE
MOTIF : malgré nos injonctions, persiste à utiliser les termes «Communauté européenne» alors que, depuis le traité de Maastricht, on dit «Union européenne».
PAIEMENT OU CONTESTATION VOIR INSTRUCTIONS AU DOS
EMPLACEMENT RÉSERVÉ AU TIMBRE-AMENDE
TIMBRE-POSTE TARIF LETTRE
DESTINATAIRE
CENTRE D'ENCAISSEMENT DES AMENDES
CARTE-LETTRE

JEU

GLOPS TÊTE D'ÂNE

Désolé mais j'ai mélangé toutes les dates des grandes étapes de la construction européenne. Quelqu'un pourrait-il faire quelque chose pour moi ? Merci d'avance.

A. 1951

B. 1957

C. 1986

D. 1992

1. Première révision complète : le traité de l'Acte unique pose les bases de lois communes. Il propose aussi un calendrier pour aller plus loin dans le Marché commun : Objectif 92 ! Et le «marché commun».

2. Traité fondateur de la CECA (premières institutions communes)

4. Les traités de Rome : la CECA devient l'idée d'un grand marché commun (CEE) et on ajoute Euratom

5. Deuxième révision complète : le traité de Maastricht : une monnaie unique, une politique étrangère et de sécurité commune, la notion de citoyenneté européenne sont à l'ordre du jour ou plutôt des années à venir.

Réponses :A. 2. – B. 4. – C. 1. – D. 5.

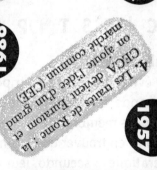

L'Europe dans tous ses États

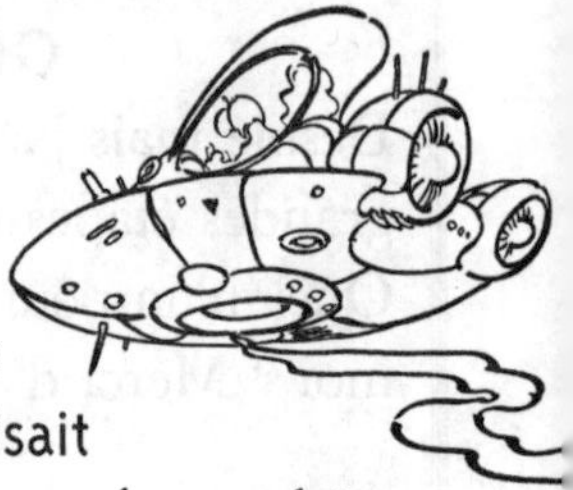

Je le sais, ce n'est pas très légal et je n'aurais jamais dû accepter... Mais, franchement, comment aurais-je pu refuser à Europe de grimper à bord de ma soucoupe volante ? Elle s'en faisait une telle joie. Le prétexte était tout trouvé : me faire découvrir chacun des États de l'Union.

«Vous verrez, me dit-elle, je suis sûre qu'on ne trouve nulle part ailleurs dans la galaxie une telle diversité sur une si petite superficie. Et je considère qu'elle représente la plus grande richesse de l'Union.»

Cela étant signifié, elle s'installe tant bien que mal dans l'habitacle de la soucoupe et me communique le plan de vol. Nous commencerons par les États fondateurs de la Communauté, puis nous irons visiter tour à tour les adhérents suivants, des plus anciens aux plus récents.

C'EST PARTI !

Le club des six

Pour éviter qu'Europe ne tripote trop les manettes, je lui demande quels sont les points communs entre les quinze pays membres de l'Union. Elle se gratte la tête et finit par m'en trouver trois. Primo, ce sont tous des États démocratiques ; secundo, leur économie est fondée sur la propriété privée et le capitalisme ; tertio — et c'est évident ! – ils ont envie de construire l'Union et s'engagent à respecter les lois communautaires. Déjà se profilent à l'horizon l'Allemagne de l'Ouest, la Belgique, l'Italie, la France, le Luxembourg et les Pays-Bas. Le temps pour l'Europe de me brancher sur le fait qu'en 1957 ces six-là étaient les seuls à remplir les critères d'adhésion, nous nous posons.

Les 15 pays membres

R République M Monarchie

République fédérale composée de 16 Länder (régions) ayant chacun un gouvernement et un parlement.
Depuis la réunification du pays, en 1990, la RDA a été intégrée dans l'Europe communautaire.
Malgré le coût de la réunification, environ 500 milliards de marks, l'Allemagne demeure la principale puissance économique européenne.
Johann Wofgang von Goethe
FAUST
Deutchland
EDITIONS EUROPEENNES

SAPERLIPOPETTE CAPITAINE MAIS C'EST L'EUROPE...
RÉSUMONS.
Il y a 3 régions en Belgique : la Flandres, la Wallonie, Bruxelles et 3 groupes linguistiques (flamand, français, allemand)...c'est pas forcément évident !
Pas mal d'institutions européennes ont leur siège à Bruxelles.

Ma chère sœur
je m'éclate en Italie.
Vingt régions très autonomes, des pizzérias, des musées partout ! Je ne sais plus où donner de la tête. Savais-tu qu'à Rome le Vatican est un tout petit État indépendant ?
Arrivederci
Glops
Mademoiselle
Zolca
Planète
Rhogon

Se méfier des contrefaçons
Patrie des droits de l'homme et du citoyen. 22 régions.
CAMEMBERT
252 F
P 0255 6394
MDepuis 1789, ce pays a essayé tous les régimes : monarchie parlementaire, dictature, Empire... Depuis 1958, la Vᵉ République tient le coup.
Banque de France
RF

Qui dit Lucilinburhuc, dit Lützelburg, dit le LUXEMBOURG !

CE N'EST PAS LE LUXEMBOURG.
OU ALORS ON A BEAUCOUP CONSTRUIT.

Découvrez le seul grand-duché d'Europe, le plus petit État de l'Union, mais l'un des plus riches par habitant ! Son monarque, le grand-duc...

Sa capitale, Luxembourg, siège du secrétariat du Parlement européen et de la Cour de justice... Son trilinguisme, luxembourgeois-français-allemand...

L'EDAM préféré de VAN GOGH

EDAM REMBRANDT

Made in Nederland

La Hollande n'est pas le nom d'un pays mais celui d'une province des Pays-Bas, un royaume qui, avec 27% de sa superficie au-dessous du niveau de la mer et un point culminant à 321 m, porte bien son nom.

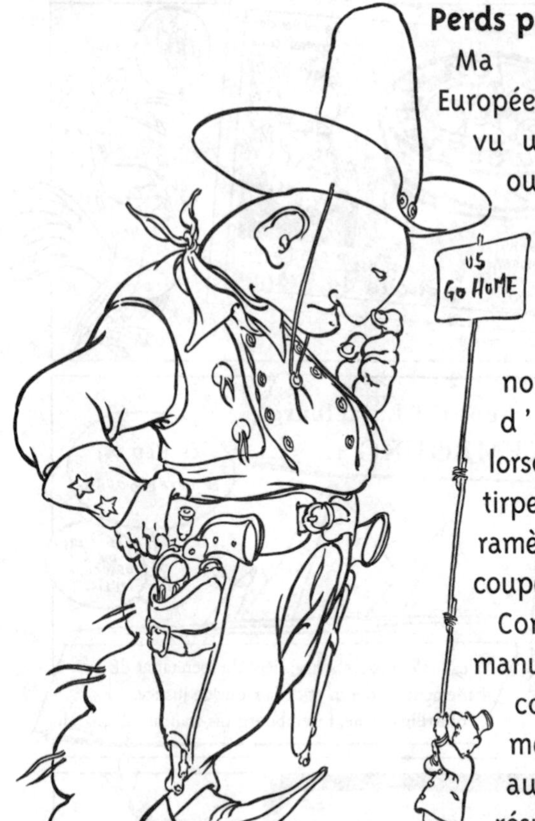

Perds pas le nord !

Ma parole ! Ces Européens n'ont jamais vu un extraterrestre ou quoi ! Je suis en train de provoquer un bel attroupement sur les bords des nombreux canaux d'Amsterdam, lorsque Europe m'extirpe de la foule et me ramène dans la soucoupe. Cap au nord.

Comme je pilote manuellement la soucoupe, Europe se met sur bavardage automatique. Je résume. Au départ, Danemark, Irlande et Royaume-Uni ne sont pas intéressés par le Marché commun, puis, au cours des années 60, ils changent d'avis. Pas de bol pour eux, le président français, le général de Gaulle, dit non au Royaume-Uni. Why ? Because il se méfie de ce pays qu'il soupçonne d'être «un cheval de Troie» américain. Je ne peux m'empêcher de rire lorsque Europe m'imite la célèbre voix du Général :

« Avec la Grande-Bretagne dans l'Union, il apparaîtrait une Communauté atlantique colossale, sous dépendance et direction américaines et qui aurait tôt fait d'absorber la Communauté de l'Europe. »

Bon, bref, comme les trois candidatures sont liées, l'adhésion est refusée aux trois pays. Il faut attendre le décès de de Gaulle et son remplacement par le président Pompidou pour qu'enfin, en 1973, ils puissent entrer dans l'Union, avec même des conditions assez avantageuses pour le Royaume-Uni. Attention à l'atterrissage.

Guide touristique du DANEMARK
ERRATA
Dans notre précédente édition, nous écrivions que ce pays possédait «le plus vieux drap de peau du monde». Il fallait lire «le plus vieux drapeau du monde». Il ne date pas de 1912, comme indiqué par erreur, mais de 1219. D'autre part, nous affirmions que le Danemark est une république. Renseignements pris, il s'agit d'une monarchie. Par ailleurs, contrairement à ce que nous pensions, les îles Féroé et le Groenland appartiennent au Danemark mais ne sont plus membres de la Communauté européenne. Enfin, Karen Blixen n'est pas l'auteur africain de *La Ferme danoise*, mais l'auteur danois de *La Ferme africaine*.

Après quelques bières, je m'en tiens une sévère. Dans quel état j'erre ? J'erre dans l'Eire, un pays qu'est tout vert, mais qu'est séparé de l'Ulster qui lui, appartient à l'Angleterre. Même que là c'est un peu la guerre. Catholiques, protestants ont du mal à faire affaire. J'bois encore une bière, mais c'est la dernière,

L'Irlande du Sud s'appelle l'Eire et l'Irlande du Nord – rattachée au Royaume-Uni –, l'Ulster.

Warning! Don't confuse United Kingdom with Great Britain and England. Great Britain is England + Wales + Scotland. The United Kingdom is Great Britain + Ulster.
Pigé ?

On bronze mieux en démocratie

Si l'on m'avait dit que les Britanniques volaient à gauche, je n'aurais pas froissé ma carlingue. Europe qui se fiche bien de mes problèmes de carrosserie a déjà chaussé ses lunettes de soleil. Espagne, Portugal, Grèce, elle s'y croit déjà. Minute ! Faut que je défroisse la tôle.

Plaza de Toro

Espanã

con Cervantes, Picasso, Garcia Lorca y muchos amigos.

Un royaume composé de 17 communautés autonomes ayant chacune un gouvernement et une assemblée.

Gazpacho y paella para todos.

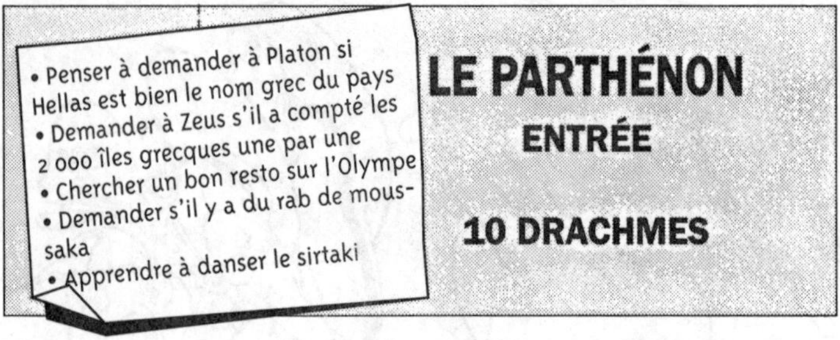
• Penser à demander à Platon si Hellas est bien le nom grec du pays
• Demander à Zeus s'il a compté les 2 000 îles grecques une par une
• Chercher un bon resto sur l'Olympe
• Demander s'il y a du rab de moussaka
• Apprendre à danser le sirtaki
LE PARTHÉNON
ENTRÉE
10 DRACHMES

PLATON .... PLATON
IL NE DOIT PAS AVOIR LE TÉLÉPHONE CE TYPE-LÀ

Faut en plus que j'entende Europe m'expliquer que, jusque dans les années 70, il ne faisait pas bon vivre ou se promener dans ces trois pays du Sud. Ambiance dictature et compagnie. Heureusement, ils ont rejoint le club des démocraties. La Grèce a adhéré à l'Union en 1981, l'Espagne et le Portugal en 1986. J'ai fini la réparation. Clignotant, je redémarre.

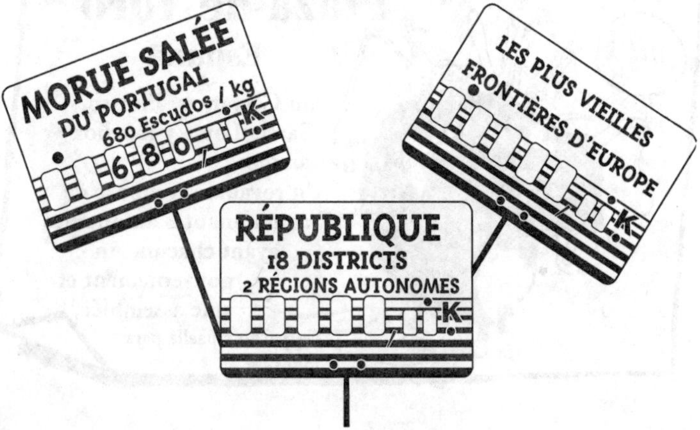
MORUE SALÉE DU PORTUGAL
680 Escudos / kg
680
LES PLUS VIEILLES FRONTIÈRES D'EUROPE
RÉPUBLIQUE
18 DISTRICTS
2 RÉGIONS AUTONOMES

Palais-Royal ou place de la République ?

«Cap au nord-est, vers l'Autriche, puis au nord, vers la Finlande et la Suède», m'ordonne Europe, de plus en plus à l'aise dans ma soucoupe.

On s'arrache de notre verre de porto. Direction, deux républiques et une monarchie, qui, sans aucun problème politique ou économique, ont adhéré à l'Union en 1995. Je profite de ce répit pour faire le point. Si je compte bien, on trouve huit républiques et sept monarchies dans la Communauté.

Europe m'interrompt. Dans les monarchies de l'Union, les souverains sont surtout des symboles. Ils ne gouvernent pas. Ce sont les Premiers ministres qui exercent le pouvoir exécutif. À leur côté, le Parlement détient le pouvoir législatif. C'est un peu pareil dans les républiques de l'Union. Les présidents n'ont pas de grands pouvoirs. Les chefs de gouvernement et les Assemblées, si. Seule exception, la France. Son président possède quasiment les pouvoirs d'un monarque. Je laisse l'Hexagone à l'ouest et je fonce vers l'Autriche.

CAHIER-JOURNAL DE GLOPS

Autriche

Österreich. Déception à Vienne. Interrogés par mes soins, messieurs Mozart, Freud et Klimt ne savaient même pas que l'Autriche était une république fédérale organisée en Länder. Dire que les Terriens considèrent ces hommes comme des génies...

Royaume de Sverige

Au nom du roi, le parlement suédois – représentant les citoyens des vingt-quatre comtés qui composent le pays – décerne le prix Nobel d'extraterrestrologie à M. Glops, citoyen de la planète Rhogon.

ELECTRONIC MAIL

File Edit View Options Window Utilities Favelist Help

OPEN SEND FORWARD REPLY DELETE SAVE PRINT

• SUOMI :
nom finnois de
la Finlande.
1/3 du territoire au nord
du cercle polaire.

• RÉPUBLIQUE :
12 départements
+ 1 région semi-autonome.

• FINNOIS :
langue parlée par
les Finlandais.

• NORD FINLANDE :
70 degrés de latitude ;
73 jours de clarté
ininterrompue en été ;
51 jours de nuit
ininterrompue en hiver.

Mail :

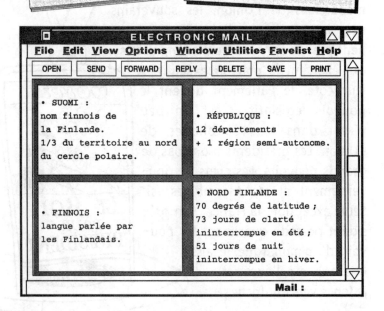

L'EUROPE SE DÉFINIT COMME SUIT : AU NORD L'EUROPE DU NORD
ET AU SUD LES PAUVRES.

Retour à la réalité

«Alors Glops, que pensez-vous de tout ça ?» m'interroge Europe tandis que nous nous éloignons de Stockholm.

Tout entier à mon pilotage, je balance deux, trois banalités sur les disparités économiques et sociales entre les États. Europe embraye. Les différences entre les petits et les grands pays reposent autant sur leur superficie que sur leur population et leurs richesses respectives. L'idéal serait de réduire les inégalités économiques et de tirer les niveaux sociaux les plus bas vers le haut.

L'autre problème, c'est que le poids politique de chacun est différent. En théorie, un État = une voix, mais en fait, un pays pauvre ou de petite superficie n'a pas le même poids qu'une grosse puissance économique. Il y a plus de pays riches au nord qu'au sud. Conséquence : ceux du Nord ont parfois peur de payer pour ceux du Sud. Ah ! L'argent ! Les Terriens en parlent beaucoup...

RÉSULTAT D'EXAMEN DE SUPERFICIE

1re : la France avec 547 026 km²

2e : l'Espagne avec 504 782 km²

Dernier : le Luxembourg avec 2 586 km²

RÉSULTAT D'EXAMEN D'HABITANTS

1re : l'Allemagne avec 81 640 000

2e : le Royaume-Uni avec 58 258 000

Dernier : le Luxembourg avec 406 000

RÉSULTAT D'EXAMEN DE PRODUIT INTÉRIEUR BRUT PAR HABITANT

1er : le Luxembourg avec 30 596 dollars

2e : le Danemark avec 21 502 dollars

Dernier : la Grèce avec 11 650 dollars

JEU

DAB

BEC

BANQUE EUROPÉENNE DE CRÉDIT

Au cours de son tour d'Europe, Glops a tiré de l'argent un peu partout. Au fond de sa poche restent 3 francs belges, 0,2 couronne danoise, 6 pesetas, 1 franc luxembourgeois, 17 florins, 4 livres sterling, 10 couronnes suédoises, 8 deutsche Mark, 31 schillings, 14,3 couronnes finlandaises, 7,85 francs français, 23 drachmes, 9 livres irlandaises, 98 lires et 13 escudos.

1. De quel pays proviennent ces monnaies ?
2. Combien ça représente en Gougolnox, la monnaie rhogonienne ?

Réponses : 1. Belgique / franc belge ; Danemark / couronne danoise ; Espagne / peseta ; Luxembourg / franc luxembourgeois ; Pays-Bas / florin ; Royaume-Uni / livre sterling ; Suède / couronne suédoise ; Allemagne / mark ; Autriche / schilling ; Finlande / couronne finlandaise ; France / franc français ; Grèce / drachme ; Irlande /livre irlandaise ; Italie / lire ; Portugal / escudo.
2. Environ 1237,431 Gougolnox et quelques clopinettes.

Ménage à quinze

Europe insiste pour prendre les commandes de la soucoupe. Bêtement, je cède. La voilà qui pousse les manettes à fond. Je n'en mène pas large, alors qu'elle, très à l'aise, poursuit la conversation. En fait, si les Quinze ont la volonté de faire l'Union, ils ont souvent tendance à défendre leurs intérêts d'abord ce qui provoque des «guerres commerciales». Il y a eu, par exemple, la «guerre de la volaille», puis la «guerre du mouton», entre la France et le Royaume-Uni : les poulets anglais n'avaient pas bonne mine, et les moutons «made in UK» étaient suspects ! Il y a eu aussi tout un débat sur la crème de cassis : les producteurs français étaient mécontents car certains pays européens considéraient que le «cassis de Dijon» était un alcool, donc sujet à des limites d'importation. Finalement, la Cour de justice de l'Union a décidé que «tout produit légalement fabriqué et commercialisé dans un État membre peut être mis en consommation dans un autre État membre», sauf pour des raisons de santé. En fait, cette crise a donné un nouvel élan à la libre circulation des produits !

Y'EN A UN QU'A PÉTÉ
CHOCHOTTE

ÉTATS FRÈRES ? ET TA SŒUR !

En français, on dit «filer à l'anglaise». En anglais, on dit «to take French leave» («filer à la française»)...

L'Europe «bleue» est aussi souvent agitée. Le «conflit de la pêche» entre la France et l'Espagne porte sur la délimitation des zones de pêche : essayez donc de tracer une ligne-frontière sur la mer !

Quant à la «crise de la vache folle», elle oppose tout le monde à tout le monde, ou presque. Moralité : il faut du temps pour que les pays membres apprennent à coopérer et à dépasser leurs simples intérêts. D'ailleurs, ce n'est pas toujours une mauvaise chose que des États contestent : les institutions européennes peuvent aussi se tromper.

Je bougonne dans mon coin : «C'est ça, c'est ça !»

Bon, puisque aujourd'hui Europe pilote ma soucoupe volante, demain c'est moi qui piloterai les institutions européennes. On va voir ce qu'on va voir !

L'Union européenne mode d'emploi

Avant de me laisser prendre l'Union en main, Europe me prévient une dernière fois :

«Attention, Glops, la communauté que vous allez piloter aujourd'hui n'est plus le modèle "traité de Rome, 1957". Elle compte dorénavant quinze places assises au lieu de six et la carrosserie, le design intérieur et la performance ont été améliorés.»

Europe me décrit minutieusement chaque fonction des principales institutions européennes, comme l'élaboration et le vote des lois communautaires, puis me laisse enfin partir.

Bien décidé à ne pas traîner en route, je fonce plein pot quand je me fais arrêter. La circulation est interdite aux soucoupes volantes. Furieux, j'en demande les raisons. On me répond que c'est dans le règlement communautaire et que, si je ne suis pas content, je n'ai qu'à m'adresser au Conseil européen. Tu ne crois pas si bien dire, mon gars ! Bravant la loi, je me dirige, en soucoupe, tout droit vers le Conseil.

CES MESSIEURS DU SUPER CONSEIL.

Suivez mon conseil

Ce «super conseil» réunit trois fois par an les chefs d'État et de gouvernement de l'Union pour déterminer les grandes orientations européennes.

Interrompant leur réunion, je leur dis que, s'ils ne veulent pas avoir d'ennuis, ils ont intérêt à autoriser la libre circulation des soucoupes volantes en Europe. Très désireux de ne pas se brouiller avec la planète Rhogon, le Conseil européen accepte. Croyant que c'est dans la poche, je me félicite, quand un huissier me tire par la manche. Maintenant que le Conseil européen a défini l'orientation, il faut étudier comment la mettre en application. Direction la Commission européenne.

!
La Commission
propose des lois.
Le Parlement les examine.
Le Conseil des
ministres les vote.

Merci pour la Commission

Arrivé à Bruxelles, je ne chipote pas. Je réunis les vingt commissaires – nommés pour cinq ans par les États membres – et les treize mille fonctionnaires qui travaillent là et je leur dis :

«Rédigez-moi un texte autorisant la libre circulation des soucoupes volantes.»

Chargés de transformer les propositions du Conseil européen en projets de loi, les commissaires les soumettent ensuite au Conseil des ministres et au Parlement. Je les engage vivement dans cette voie, et me fais préciser qu'ils ont aussi un pouvoir de décision en ce qui concerne les directives et les règlements, c'est-à-dire les textes précisant ce que les États doivent faire pour respecter ces lois européennes.

Sans doute pour m'impressionner, les commissaires me disent qu'ils gèrent le budget européen et que leur président, pour l'heure le Luxembourgeois Jacques Santer, représente l'Union européenne dans les négociations internationales. Fanfarons, ils ajoutent que la Commission est appelée la «gardienne des traités», car elle

LE COURRIER DES LECTEURS

Cher Glops, tu sais que je suis ta grande sœur et que tu dois tout me dire. Quelle est la différence entre un «règlement» et une «directive» ?

Zolca, un «règlement» adopté doit s'appliquer tout de suite dans tous les pays membres. Une «directive» donne aux États un objectif à atteindre qui peut prendre plusieurs années et pour lequel les États utilisent les moyens qu'ils désirent. Embrasse les parents.

contrôle l'action des États et prévient la Cour de justice européenne en cas de violation des lois communautaires.

D'accord, d'accord, et mon affaire, elle avance ? Elle est même terminée me dit un commissaire en me tendant un énorme dossier. Bon travail, messieurs !

Maintenant, je file en direction du Conseil des ministres.

DELORS JACQUES

Né à Paris en 1625. Membre du Parti socialiste français. Député européen de 1679 à 1681. Ministre de l'économie et des finances de 1681 à 1684. Président de la Commission européenne de 1685 à 1695. A joué un rôle essentiel dans l'élaboration de l'Acte unique et dans les négociations du traité de Maastricht. Partisan de la monnaie unique. Défenseur d'une Europe sociale.

Il faudrait tout de même que j'actualise mes dates !

Quinze ministres au garde-à-vous

Repos les gars ! Peu m'importe que vous soyez en train de débattre de la répartition du budget et que vous décidiez de toutes les dépenses obligatoires. Voici un dossier concernant les soucoupes volantes. Je vous donne cinq minutes pour transformer tout cela en «position commune». Exécution !

Gâteau européen

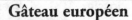

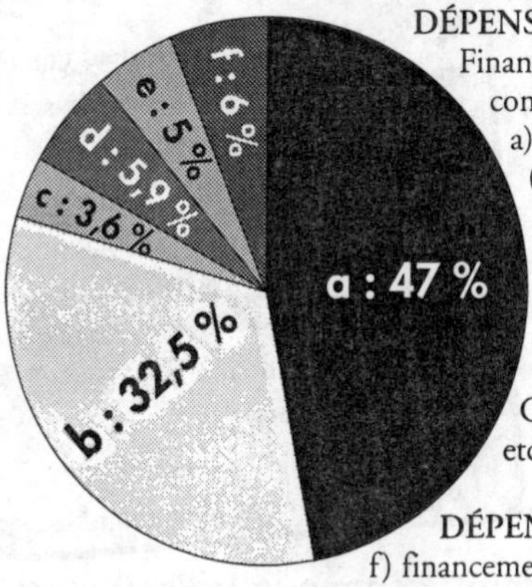

DÉPENSES OBLIGATOIRES :

Financement des politiques communautaires :

a) politique agricole commune (47%) ;
b) politiques structurelles (32,5%) ;
c) recherche (3,6%) ;
d) autres politiques (5,9%) ;
e) fonctionnement de la Communauté (administration, etc., 5%)

DÉPENSES NON OBLIGATOIRES :

f) financement des politiques extérieures de la Communauté, dont aide au développement et aux pays de l'Est...(6%)

Je remarque que le Conseil s'adapte aux dossiers traités. Quand on parle d'agriculture, ce sont les ministres de l'Agriculture qui s'y collent. Si l'on discute relations extérieures, ce sont leurs collègues des Relations extérieures. Dans le cas présent, ce sont tous les ministres des Transports. Je note aussi qu'à tour de rôle et pour six mois, chaque État membre assure la présidence du Conseil.

PRÉSIDENCE DU CONSEIL DES MINISTRES

1995	1996	1997	1998	1999	2000	2001
~~France Espagne~~	~~Italie Irlande~~	Pays-Bas Luxembourg	Royaume-Uni Autriche	Allemagne Finlande	Portugal France	Planète Rhogon (à négocier)

En traitant mon dossier, le Conseil me démontre qu'il est un «organe de décision». Selon l'importance du sujet, il vote soit à l'unanimité, soit à la majorité qualifiée. Chaque État possède un nombre de voix données. Certains ont dix voix comme la France, l'Allemagne, le Royaume-Uni ; d'autres, deux, comme le Luxembourg. Tout dépend de leur poids économique et de leur population. En tout, ils se partagent quatre-vingt-sept voix, et il en faut soixante-deux pour remporter le morceau dans un vote à la majorité qualifiée. Cela permet d'avancer si un pays n'est pas d'accord.

Mon affaire est bientôt votée à l'unanimité (plus une voix, la mienne !), et sur ce, je fonce à Strasbourg où m'attend le Parlement européen.

RECETTES DU BUGET EUROPÉEN AUX PETITS OIGNONS

★

★ Prenez 21% de droits de douane sur les produits importés de pays n'appartenant pas à l'Union européenne.

★ Ajoutez-y 51% de TVA perçue par les États membres et 28% de fonds versés par ces mêmes États proportionnellement à leur richesse.

★ Mélangez le tout.

★ Ajoutez des petits oignons et dépensez tant que c'est chaud.

APPEL DE COTISATION

Les pays de l'Union européenne sont appelés à verser leur cotisation pour l'année 1997.
Nous vous rappelons que les trois États versant le plus sont : l'Allemagne, la France et le Royaume-Uni.

TIP

Chaque citoyen européen verse en moyenne 200 écus (environ 1 400 F) à la Communauté.
Nous vous rappelons que les versements doivent être réglés avant le mois d'octobre.

CARTES BANCAIRES ACCEPTÉES LA MAISON NE FAIT PAS CRÉDIT

Date et Signature

Parlement, parle m'en encore

Je tombe de Rhogon ! Après avoir donné leur avis au Conseil des ministres et modifié la position commune, les six cent vingt-six députés du Parlement me demandent trois mois pour une deuxième lecture. Et puis quoi encore !

J'ai largement le temps de découvrir que, jusqu'en 1979, ce Parlement s'appelait l'Assemblée européenne et que les députés y étaient nommés par les États membres. Depuis, ils sont élus par les citoyens européens au suffrage universel pour une durée de cinq ans.

Chaque pays dispose d'un nombre de députés proportionnel à sa population : quatre-vingt-dix-neuf Allemands pour six Luxembourgeois, par exemple. Chaque mois, pendant une semaine, tous les députés se retrouvent à Strasbourg, au palais de l'Europe. Le reste du temps, ils se partagent entre Bruxelles, où ont lieu les réunions restreintes, et Luxembourg, où est installé le secrétariat du Parlement.

Moralité : pour travailler au Parlement, il faut aimer les voyages, et chaque député a d'ailleurs une grande cantine métallique qui le suit dans ses déplacements.

L'élue de mon cœur

Soudain, pour faire progresser mon dossier, l'envie me prend de devenir député européen. Pour se présenter, il faut : être citoyen d'un État de la Communauté ; posséder l'âge minimal requis (de 18 ans en France à 25 ans en Italie, par exemple) ; être inscrit sur la liste d'un parti politique et faire campagne pour lui... Je crois que je repasserai !

Il me reste une solution : trouver un pote chez les députés. D'ailleurs, en voilà une supersympa. Elle m'invite aussitôt à lui exposer mon affaire et me convie à une réunion de son groupe politique. Car, au Parlement, les députés ne siègent pas par nationalité mais selon leurs affinités politiques.

Lundi 9	Mardi 10	Mercredi 11	Jeudi 12	Vendredi 13
15h : arrivée à Strasbourg. Vérifier que ma cantine est devant mon bureau. Aller chercher les textes à l'ordre du jour + mon courrier **17h :** réunion de la commission «culture, jeunesse éducation et médias» **19 h :** rendez-vous au «bar des chauffeurs» du Parlement avec Guy Magnon, PDG des lunettes «Miro». **En soirée :** préparer avec mon assistant l'intervention orale de demain sur la directive relative aux droits d'auteur et aux droits voisins.	**9h30 :** rendez-vous chez le coiffeur. **10h :** rendez-vous avec M. Smith, journaliste anglai,s sur la question du nombre de députées au Parlement européen. **11h-12h :** débat en plénière et vote sur la directive relative «aux confitures, gelées et marmelades de fruits ainsi qu'à la crème de marron destinées à l'alimentation humaine». **15h :** intergroupe «cinéma et audiovisuel» sur le droit d'auteur. Invité : M. Shloemi, cinéaste danois.	**suite mardi** **17h :** Débat sur le rapport Dury à propos de la CIG (Conférence intergouvernementale). **19h30-21h :** réunion de mon groupe politique. Examen des principaux thèmes de la session. **Mercredi** **10h-12h :** débat sur la directive relative aux droits d'auteur et aux droits voisins. **15h :** intergroupe sur le programme européen pour la santé (à l'ordre du jour : les méthodes de contraception) **21h :** débat sur les jouets ressemblant à des armes.	**9h-10h :** réunion de mon groupe politique. 10h : débat en plénière sur la directive «télévision sans frontières». **12h :** vote. **14h :** «les urgences». Aujourd'hui l'Albanie et le Zaïre.	**9h30 :** débat en plénière sur le cacao. **12h30 :** avion pour Paris.
Notes encore des tonnes de lettres des défenseurs des animaux et des associations de motards !	Notes pourvu qu'on ait bien pensé à l'interprète danois. j'espère avoir 3 mn demain pour parler du droit d'auteur !	Notes faire une intervention sur la libre circulation des soucoupes volantes pour aider Glops	Notes	Notes débat cacao reporté à la session Trop d'absents !

Samedi 14 Notes	Dimanche 15 Notes

Petit lexique parlementaire

Les débats se déroulant dans l'hémicycle du Parlement sont appelés «séances plénières».
Les «intergroupes» abordent des sujets précis (quart-monde, aérospatial, francophonie, etc.). Tous les députés intéressés par le sujet peuvent y participer.
Les «urgences» traitent de tous les sujets d'actualité. La plupart du temps, il s'agit des droits de l'homme dans le monde.

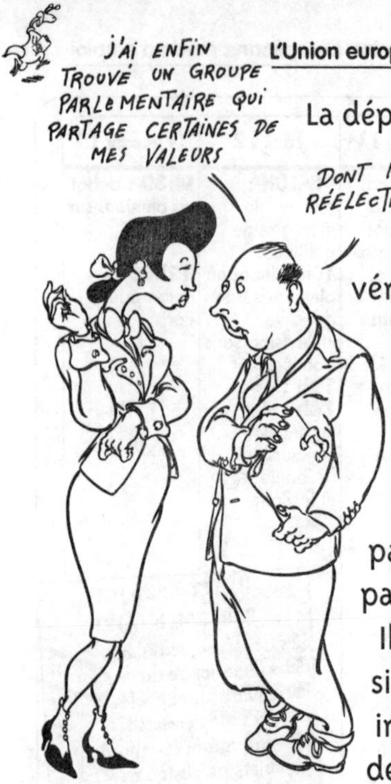
J'AI ENFIN TROUVÉ UN GROUPE PARLEMENTAIRE QUI PARTAGE CERTAINES DE MES VALEURS
DONT MA RÉÉLECTION

La députée m'explique aussi que le rôle du Parlement s'est accru depuis quelques années. Il a maintenant de véritables pouvoirs budgétaires. Au travail des députés s'ajoute une vingtaine de commissions spécialisées qui se réunissent régulièrement à Bruxelles et préparent les débats de la session parlementaire.

Il y a aussi des sous-commissions, des sous-groupes et des intergroupes. Plus des équipes de traducteurs qui suivent les députés comme leurs ombres.

Sprechen Sie rhogonien ?

Pendant que la députée travaille pour moi, je pars me balader dans le Parlement. Heureusement que je suis doué pour les langues. À Strasbourg, personne ne parle le rhogonien. Quand il y avait 12 pays membres, les débats au Parlement se faisaient en 9 langues différentes, soit, si j'ai bien compté, 72 combinaisons possibles ! Depuis l'entrée en 1995, de la Finlande, de la Suède et du Danemark, on frôle l'infarctus. Pas évident de trouver quelqu'un qui passe du finnois au grec, du portugais au suédois en passant par l'italien ou l'espagnol. Sans parler des erreurs possibles de traduction ou des expressions intraduisibles.

Victoire ! Les députés, les représentants du Conseil des ministres et de la Commission ont approuvé tous les amendements sur la libre circulation des soucoupes volantes. Je remercie tout particulièrement ma chère députée, je retourne au Conseil faire voter mon texte et je m'envole pour Luxembourg afin d'y rencontrer la Cour de justice européenne.

RÈGLEMENT INTÉRIEUR

1964

Il a été décidé par la Cour de justice européenne que les États européens respecteront le droit communautaire qui est supérieur au droit national de chaque pays membre.

Justice est faite

Elle est composée de quinze juges et six avocats généraux. Ils sont chargés de veiller au respect du droit communautaire et de régler toutes les crises possibles et imaginables entre les États membres, les institutions et les citoyens. Leurs décisions doivent être appliquées immédiatement et sans discussion par les États membres de l'Union. Rien à ajouter !

Je salue rapidement quelques autres institutions : le Conseil économique et social, la Cour des comptes, le Comité des régions et la Banque d'investissement. Je les laisse à leurs rôles très spécialisés et je retourne chercher Europe.

JEU DE LOI

Avancez de case en case et faites ce qui est écrit.

1	2	3
Conseil européen : «Il faut autoriser la libre circulation des soucoupes volantes en Europe.»	Commission européenne : «Comment faire ? Bon, on va rédiger un texte.»	Conseil des ministres : «On doit transformer tout cela en projet de loi» (rédaction d'une «position commune» adoptée à la majorité qualifiée avant qu'elle ne soit transmise au Parlement).
4	**5**	**6**
Avis du Parlement : «Voulez-vous savoir ce que je pense des idées de la Commission ?»	2e lecture du Parlement : «Laissez-moi 3 mois pour réfléchir et juger la position commune.»	Décision du Parlement. Pile ou face. Pile, le Parlement rejette tout le texte. La Commission doit revoir sa copie. Retournez case 2. Face, le Parlement apporte des modifications Passez à la case 7. Si la pièce tombe sur la tranche, le Parlement accepte. Passez à la case 8.
7	**8**	**9**
Conseil des ministres. Tirez à la courte paille. Paille courte, le Conseil dit : «Merci, j'accepte vos modifications.» Passez à la case 8. Paille longue, le Conseil dit : «Je refuse vos modifications.» Retournez case 2.	Le Conseil vote. Jouez à la roulette. Pair : la proposition n'obtient pas la majorité qualifiée. Pas de chance. Retournez case 2. Impair : la proposition obtient la majorité qualifiée. Bravo, passez à la case 9.	Victoire ! Les soucoupes volantes peuvent librement circuler dans l'Union européenne. Tandis que la planète Rhogon tout entière vous félicite, le Conseil et la Commission planchent déjà sur les directives et règlements à mettre en place.

Attention ce jeu peut durer de 3 mois à plusieurs années !

En progrès mais peut mieux faire

Europe est curieuse de savoir ce qu'un Rhogonien pense du fonctionnement de l'Union. Honnêtement, et sans vouloir la vexer, j'ai déjà vu plus simple que cette multitude d'institutions. Tout ce petit monde qui s'agite entre Strasbourg, Bruxelles et Luxembourg. Des tonnes de documents qui se baladent à droite, à gauche. Des fonctionnaires atteints de bougeotte chronique, des experts qui vous parlent de lois, règlements, directives, amendements et contre-amendements en plusieurs langues... Dans le genre bric-à-brac, on fait difficilement mieux.

EN BREF
NOUS DIRONS QUE
LE PARLEMENT DOIT
IMPÉRATIVEMENT S'ATTAQUER
AUX PRINTEMPS PLUVIEUX
ET AUX ÉTÉS POURRIS...

Europe défend son Union du mieux qu'elle peut :

«C'est une simple question d'habitude.»

Elle admet cependant que plusieurs choses doivent être améliorées. La «Maison européenne» a été construite bout à bout, et le résultat n'est pas franchement idéal.

Par exemple, il faudrait limiter le va-et-vient des députés, clarifier les rapports entre les institutions européennes et les institutions nationales des États membres. Enfin, il serait bon que tous les députés européens soient élus de la même manière dans tous les pays.

Si ça peut faire plaisir à Europe, j'en toucherai un mot au Conseil européen. C'est fou l'influence que j'ai sur lui !

L'IMPORTANT CE N'EST PAS D'ÊTRE ÉLU À LA MAJORITÉ OU À LA PROPORTIONNELLE.
L'IMPORTANT C'EST D'ÊTRE ÉLU.

Quinzaine commerciale

Ce n'est pas pour me vanter mais, désormais, on peut me considérer comme le plus grand spécialiste intergalactique de l'Union européenne. Europe ricane.

Vexé, je la mets au défi de me coller.

«Glops, toi qui es si malin. Dis-moi quelle est la base de la construction européenne ?»

Fastoche ! C'est l'élimination de tous les obstacles aux échanges, la suppression des frontières intérieures de l'Union.

«Glops, toi qui sais tout, quels ont été les premiers secteurs concernés ?»

Euh... Un instant, ça va me revenir. Au bout d'une demi-heure, Europe interrompt brutalement ma réflexion.

«On a commencé par une union douanière industrielle et agricole.»

Je le savais ! Tous des poètes, ces Européens...

COMME 370 452 000 D'EUROPÉENS,
EXIGEZ L'AUTHENTIQUE ARTICLE 9 DU TRAITÉ DE ROME

«La Communauté est fondée sur une union douanière qui s'étend à l'ensemble des échanges de marchandises, et qui comporte l'interdiction, entre les États membres, des droits de douane à l'importation et à l'exportation et de toutes taxes d'effet équivalent, ainsi que l'adoption d'un tarif douanier commun dans leurs relations avec les pays tiers.»

Au douane et à l'œil

Très en verve, Europe pérore. Libre-échange dans l'Union, tarif douanier commun autour de l'Union, me soutient-elle péremptoire avant de m'en énumérer les trois règles principales.

Premièrement : depuis 1968, il est interdit de taxer un produit venant d'un autre pays de la Communauté.

iL DiT QUE CE SONT DES PRODUITS EUROPÉENS MAIS J'AI COMME UN DOUTE.

Deuxièmement : il est défendu de refuser un produit venant d'un pays membre sous prétexte qu'il ne répond pas aux normes nationales. Inutile d'insister. Pour améliorer cette mesure, le traité de l'Acte unique a instauré l'obligation, pour les États membres, d'harmoniser leurs normes de sécurité, d'hygiène et de protection des consommateurs.

Troisièmement : pas question de fixer des quotas à l'importation de produits venant d'autres pays de l'Union, sous peine d'être condamné par la Cour de justice à verser une amende.

Vrai ou faux ?

En 1982, la Cour de justice a condamné la Belgique, qui avait exigé que la margarine soit vendue sous forme cubique pour que les consommateurs belges ne la confondent pas avec du beurre. La Cour a estimé que cette décision était contraire à la règle de libre circulation des marchandises.

Réponse : vrai

Agent de la circulation

Je crois qu'Europe en rajoute un peu. Elle prétend que, si l'on veut que les États respectent ces règles, il faut mettre en place des politiques communes spécifiques. Elles sont au nombre de quatre. Europe commence avec la politique industrielle dont l'objectif est de mettre en place une meilleure coopération industrielle entre les États.

Au menu, élimination des obstacles aux échanges et incitation à davantage de coopération entre les entreprises des différents pays.

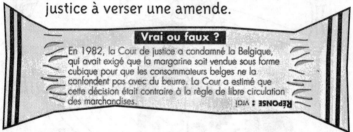

Sans me laisser le temps de souffler, Europe enchaîne avec la politique commerciale commune. Mise en place par le traité de Rome, celle-ci a été améliorée par l'Acte unique. Au lieu de soixante-dix formulaires douaniers, un document administratif unique est désormais suffisant pour faire franchir aux marchandises les frontières intérieures de l'Union.

Priorité au gain de temps et d'argent.

À armes égales

Europe m'affirme aussi que l'Union se montre très «à cheval» sur sa politique de la concurrence, car la libre circulation des marchandises doit favoriser les consommateurs européens en ce qui concerne les prix et la qualité des marchandises.

Donc, interdit de fausser le jeu !

Les petits malins, États ou industriels, qui s'y risquent, se font souffler dans les bronches par la Commission.

Il y a bien sûr des exceptions à la règle. Si, par exemple, un État veut soutenir tel ou tel secteur industriel en difficulté, la Commission peut laisser faire mais, en général, elle est plutôt du genre stricte.

RÈGLEMENT INTÉRIEUR

SUR LE TERRITOIRE DE L'UNION EUROPÉENNE, IL EST INTERDIT :

1) de s'entendre entre entreprises dans le but de réduire la libre concurrence ;

2) aux entreprises européennes d'être en position de monopole et d'imposer leurs lois aux consommateurs ;

3) qu'un État apporte une aide financière à une entreprise nationale si cela peut défavoriser une entreprise d'un autre État membre.

L'EUROPÉEN LIBÉRÉ
AVRIL 1984

La Commission cartonne le cartel du carton

Dix-neuf entreprises condamnées à payer une amende de 121 millions d'écus.
Les principaux producteurs de carton de la Communauté avaient conclu un accord secret pour dominer le marché européen et imposer leur loi. Résultat : en 6 ans, une hausse des prix de près de 42% ! Au terme d'une très longue enquête, la Commission a pu identifier les responsables du « cartel du carton » et leur infliger une amende record.

L'EUROPEINARD MATINAL

Sévère rappel à l'ordre pour le gouvernement français !

La Commission lui interdit de continuer à aider les usines Renault. Vive satisfaction des autres constructeurs automobiles européens, jusqu'alors défavorisés.

L'EUROPINIÂTRE-HEBDO
Décembre 1978

La société Chiquitas avait fait main basse sur le marché de la banane. La Cour de justice la mange par les 2 bouts.

Viol des règles de la libre concurrence. Élimination de toute la concurrence. Prix de vente prohibitifs. La société Chiquitas imposait ses bananes sur le marché !
La Cour de justice n'a pas glissé.

À pied, à cheval et en voiture

Il faut être logique. Si on veut accélérer la circulation des marchandises, on doit améliorer les transports. Europe me félicite de ma pertinence mais ajoute que la Commission ne m'a pas attendu pour démarrer une politique des transports.

C'est d'abord sur la route que ça se passe, puisque celle-ci assure presque la moitié des échanges européens : financement d'autoroutes pour faciliter les échanges et améliorer la sécurité routière ; contrôle technique de tous les véhicules utilitaires ; harmonisation des règles de sécurité ; port obligatoire d'une ceinture de sécurité ; interdiction de l'alcool au volant... Et roulez jeunesse !

Je suppose que les chefs de gare européens sont particulièrement fiers. L'Union, avec près de 130 000 km de voies ferrées, se situe au troisième rang mondial derrière les États-Unis et l'ex-Union soviétique. Fort de cette médaille de bronze, l'Union forme le vaste projet d'améliorer les liaisons entre les pays membres en les obligeant à adopter des normes communes, notamment pour l'écartement des voies. Le traité de Maastricht a même prévu la construction d'un «réseau européen à grande vitesse» reliant des grandes villes, par exemple : Copenhague-Lisbonne, Montpellier-Madrid, Lyon-Turin, Paris-Londres (aujourd'hui reliées par le tunnel sous la Manche.)

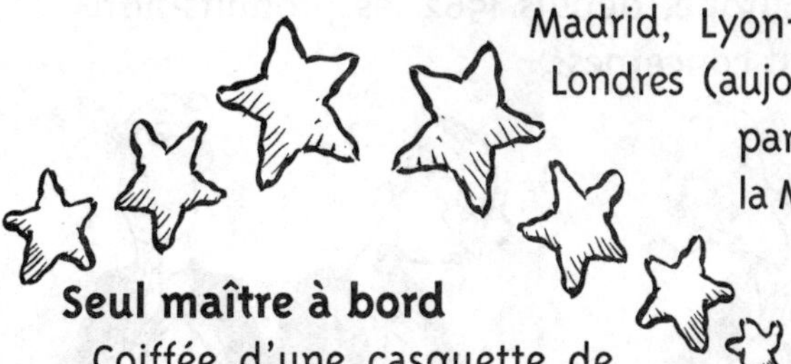

Seul maître à bord

Coiffée d'une casquette de capitaine, Europe m'emmène faire un petit tour sur l'eau. Transports maritimes et fluviaux ne sont pas oubliés, me dit-elle. L'Union européenne a prévu des règles concernant la circulation, améliorant la sécurité et sanctionnant les «pirates». À l'horizon, «Euros», un pavillon européen.

Le ciel était-il «prisonnier» avant 1993 ? En tout cas, depuis le 1er avril 1997, il est «libre» puisque les compagnies aériennes bénéficient d'une totale liberté pour s'implanter dans n'importe quel pays de l'Union. Seules restrictions : respecter la politique commune de la concurrence et surtout les règles de sécurité.

Bonjour veaux, vaches, cochons

C'est bien beau tout ça mais la vie ne se limite pas à la libre circulation des produits industriels. Non, me rétorque Europe, depuis 1962 les produits agricoles aussi sont concernés.

PAC ! Politique agricole commune ! Une des plus anciennes politiques communes ! Europe n'a que ce PAC à la bouche. Rien de mieux, paraît-il, pour augmenter la productivité, assurer un niveau de vie équitable aux agriculteurs, stabiliser les marchés agricoles, garantir la sécurité des approvisionnements et assurer des prix raisonnables aux consommateurs.

COMME 370 452 000 D'EUROPÉENS, EXIGEZ L'AUTHENTIQUE ARTICLE 38 DU TRAITÉ DE ROME

«Le marché commun s'étend à l'agriculture et au commerce des produits agricoles. Par produits agricoles, on entend les produits du sol, de l'élevage et de la pêche, ainsi que les produits de première transformation qui sont en rapport direct avec ces produits.»

Passe ton PAC d'abord

Si je comprends bien, cette PAC a des principes avec lesquels on ne rigole pas. Les États doivent harmoniser leur législation nationale concernant les règles sanitaires et vétérinaires afin de permettre la libre circulation des produits agricoles. Par exemple, pas question d'interdire l'entrée en France d'une saucisse allemande sous prétexte qu'elle serait fabriquée différemment à Francfort et à Strasbourg ! Pas question non plus de fixer un prix chacun dans son coin. Chaque année, la Commission et le Conseil des ministres donnent des tarifs indicatifs.

Libre aux Européens de s'approvisionner à l'extérieur de l'Union mais, au nom de la «préférence communautaire», tous les produits agricoles venant d'ailleurs seront taxés à leur entrée sur le Marché unique.

Europe tient aussi à me vanter la solidarité financière dont font preuve les États de l'Union. Tous doivent participer au financement de la PAC, notamment pour garantir le revenu des agriculteurs.

J'espère que ce ne sont pas des salades.

P'têt ben qu'oui...

Un brin maquignon, Europe soupèse la Communauté :

«La première puissance agricole mondiale, mon p'tit gars ! Nourris par la PAC, les échanges agricoles entre les pays membres ont été multipliés par huit entre 1958 et 1972. Tâte-moi donc cette augmentation de la production qui a assuré la sécurité des approvisionne-

ments et rendu les pays européens autosuffisants ! Et puis cette modernisation des exploitations agricoles ! Je ne te cause pas de l'amélioration des rendements. Une merveille ! Tu n'imagines même pas combien les échanges agricoles avec le reste du monde ont augmenté grâce à ça.»

L'EUROPE DES POMMES
DES POIRES
DES PÊCHES
ET DES SCOUBIDOUS

... P'têt ben qu'non

Europe commence à me courir sur le haricot avec ses gros sabots. Ah oui, la PAC a atteint ses objectifs ! Et même largement ! Si largement qu'elle est devenue victime de son propre succès. Les excédents

> **Graines de paysans en colère**
>
> SE PLANTENT en touts saison par la Commission lorsqu'elle propose de nouvelles mesures pour réformer la PAC.
> SE SÈMENT lors de la mise en place de quotas de productions pour les céréales, les oléagineux, les bovins, les ovins ou le lait ; lors du gel de plusieurs milliers d'hectares ; de la baisse des aides financières accordées aux paysans...
> CROISSANCE SPECTACULAIRE de la contestation : vertes manifestations d'agriculteurs fleurissant à Bruxelles ; tomates et pommes de terre déversées par tonnes sur les trottoirs de la ville ; vaches et moutons gambadant dans les rues...
> RÉCOLTE DE PÉPINS assurée pour la Commission.

agricoles sont tels que la Communauté se retrouve à la tête de véritables montagnes de beurre invendu ou de fruits et de légumes impossibles à stocker...

De plus, si les revenus des agriculteurs ont augmenté jusqu'en 1979, aujourd'hui ils sont en baisse, et d'énormes différences persistent entre les gros et les petits exploitants.

Enfin, la PAC coûte très cher. Dans les années 70, elle engloutissait près de 70% du budget européen.

Europe grommelle, je ne lui apprends rien.

Mais, depuis 1984, la PAC a été réformée pour limiter les excédents, rationaliser les structures de production et réduire les dépenses. En 1995, elle représentait un peu moins de la moitié du budget communautaire.

Un pour tous, tous pour quatre

Pour détendre l'atmosphère, Europe change de sujet.

Tandis que les États appliquaient le principe de la libre circulation des produits industriels et agricoles,

DANS LE CADRE DU
PROGRAMME «INTERREG»
CONSTRUCTION d'une autoroute reliant le nord de la Grèce à la frontière turque.
Embranchements prévus vers l'Albanie et la Bulgarie.
FINANCEMENT : Union européenne.
OBJECTIF : faciliter les échanges pour améliorer le faible niveau de développement de cette région.

la Communauté, elle, ne chômait pas et créait de nouvelles politiques communes.

Afin de réduire les inégalités économiques entre les régions et aider celles en difficulté, le Fonds européen de développement régional fut mis en place pour financer des programmes d'industrialisation ou de lutte contre le chômage.

Les grands bénéficiaires : la Grèce, l'Espagne, l'Irlande et le Portugal, pour lesquels un «fonds de cohésion» spécial, doté de 15 milliards d'écus, a été créé en 1992.

Un atome de bon sens

Europe me la joue très écolo et me fait l'article du «livre vert», un vaste programme adopté en 1995. Ses buts prioritaires sont la réduction de la consommation énergétique (moins de gaspillage d'énergie !), la diversification des sources d'énergie (moins de pétrole, plus de gaz et d'électricité, solaire ou éolienne).

Il s'agit aussi de préserver l'environnement en limitant les risques de pollution, surtout nucléaire. Les centrales nucléaires sont strictement contrôlées et, depuis l'accident de Tchernobyl, les États ont renforcé leurs normes de sécurité.

Un noyau de pêche

QUE DE MERVEILLES DEVANT MES YEUX ÉBLOUIS

Tous les pays de l'Union sauf deux ont les pieds dans l'eau, me révèle brusquement Europe. On s'en est véritablement rendu compte au début des années 80 lorsque la Grèce, l'Espagne et le Portugal sont entrés dans la Communauté. Grâce à ces trois pays, très portés sur la pêche, «l'Europe bleue» est née. Ce «marché commun de la pêche» a pris de l'ampleur avec l'arrivée en 1995 de la Finlande et de la Suède.

PERMIS DE PÊCHE EUROPÉEN

L'ÉTAT USAGER S'ENGAGE À :

- **RESPECTER** les normes de commercialisation concernant la taille et la qualité des poissons ;
- **RESPECTER** des prix communs ;
- **PRÉSERVER** les ressources de la mer ;
- **LIMITER** les quantités de poissons pêchés, particulièrement pour le hareng, le cabillaud et le merlan ;
- interdire certains filets de pêche dont les mailles, trop fines, captureraient des espèces protégées comme les dauphins.

PRÉFECTURE
U E
EUROPÉENNE

Place au solo

C'est bien, la vie en communauté, mais il y des limites, m'avoue Europe. Parfois, avec sa manie de tout réglementer, l'Union énerve les États. OK pour respecter des règles communes mais pas pour tout uniformiser. Les Français sont prêts à se battre pour défendre leurs fromages, les Espagnols pour leurs corridas, les Britanniques pour continuer à rouler à gauche.

Chacun défend ses particularités, sa culture, son terroir. Que les produits puissent circuler librement, oui ! Que les spécialités d'un pays ou d'une région puissent être produits n'importe où, non ! Le camembert reste français, le cheddar anglais, la feta grecque et le «broutznoïlle» roghonien !

1er prix de poésie

Europe veut bien le reconnaître : la multiplication des politiques communes a entraîné une prolifération de textes, parfois d'une effroyable technicité, qui laisse perplexe. Les institutions européennes sont débordées, et il leur arrive de déraper. On passe des heures à discuter du niveau sonore des tondeuses à gazon, on réfléchit gravement sur les spécificités techniques des lits à barreaux, on écrit des tartines sur la confiture...

Europe demeure un instant silencieuse, puis, soudain, un sourire l'illumine.

«Savez-vous, me dit-elle que, malgré tout, l'Union européenne est la première puissance économique mondiale ?»

Je le savais, tous des poètes ces Européens !

Citoyens de tous les pays...

LES POIREAUX AVEC NOUS

Un doute me saisit. Europe me rabat les oreilles avec les produits agricoles et industriels, avec la libre concurrence, avec telle ou telle politique commune... L'Union ne serait-elle peuplée que de marchandises ?

Europe sursaute. Des hommes ! Des femmes ! Il y en a plein. Ils étaient 370 452 000 en 1995 ! Bon, me voilà rassuré : les citoyens européens existent bel et bien.

«Euh oui, enfin non, c'est plus compliqué que ça...» bafouille Europe.

En théorie, c'est simple : tous les citoyens des pays de l'Union sont citoyens européens et ils élisent bien des députés européens tous les cinq ans.

En pratique, les citoyens et les députés européens ont encore trop peu de pouvoir.

C'est pourquoi l'Union souhaite augmenter la participation de ses citoyens à la construction européenne. Ainsi, elle ne se ferait pas à leurs dépens. Par exemple, il est prévu d'accorder le droit de vote et d'éligibilité, lors des élections municipales et européennes, aux personnes installées dans un autre pays de l'Union que le leur. En Italie, un Français a déjà été élu sur une liste italienne.

JEU DES 1000 EUROS

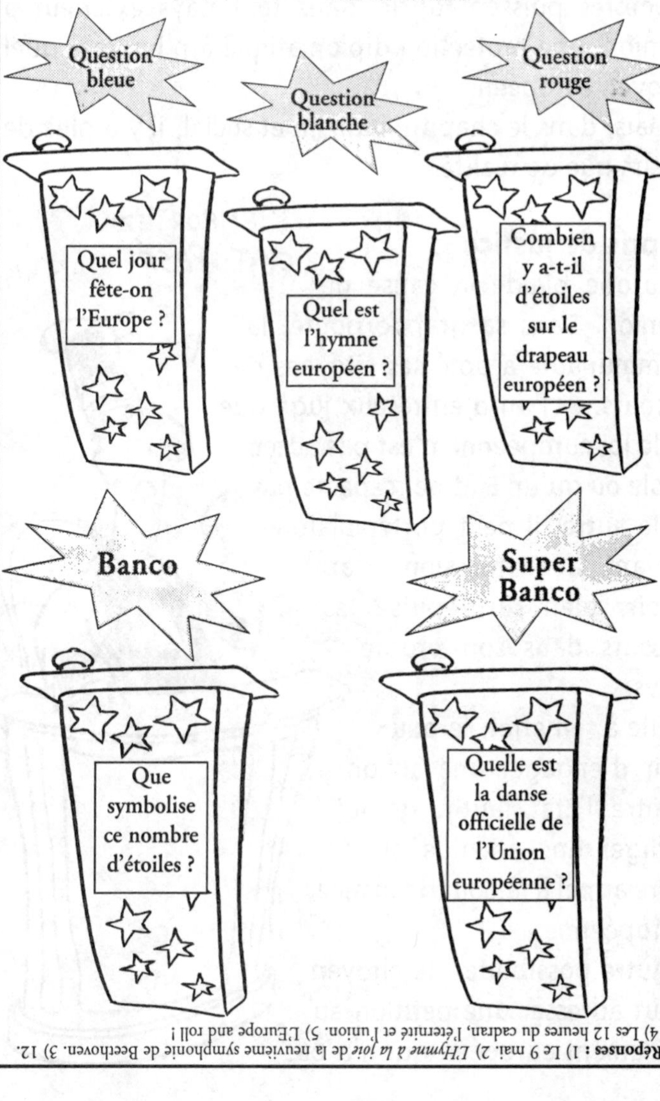
Question bleue
Question blanche
Question rouge
Quel jour fête-on l'Europe ?
Quel est l'hymne européen ?
Combien y a-t-il d'étoiles sur le drapeau européen ?
Banco
Super Banco
Que symbolise ce nombre d'étoiles ?
Quelle est la danse officielle de l'Union européenne ?

Réponses : 1) Le 9 mai. 2) *L'Hymne à la joie* de la neuvième symphonie de Beethoven. 3) 12. 4) Les 12 heures du cadran, l'éternité et l'union. 5) L'Europe and roll !

Il est aussi prévu que les ambassades des États membres puissent offrir, dans tout pays extérieur à l'Union, une protection diplomatique à n'importe quel citoyen européen.

Mais, dans le chapitre humain et social, il y a plus de désirs que de réalité...

Repris de justice

Europe plaide la cause de l'Union. Dans sa grande bonté, la Communauté a doté ses citoyens de recours. Si l'un d'entre eux juge que telle loi européenne n'est pas acceptable ou qu'un État ne respecte pas telle autre, il peut porter plainte devant la Commission – après avoir, bien sûr, épuisé les recours dans son propre pays.

Elle a, en effet, le pouvoir d'engager une action contre l'État fautif, de lui infliger une amende ou de faire appel à la Cour de justice européenne.

Autre possibilité : le citoyen peut adresser une pétition au Parlement européen qui n'a pas de pouvoir judiciaire mais examine tous les problèmes relatifs aux droits sociaux, aux inégalités hommes-femmes, à la liberté de travail… et peut, lui aussi, faire appel à la Cour de justice.

Cette dernière, en effet, ne peut jamais être directement saisie par le citoyen.

Circulez ! Y a tout à voir

Finalement notre citoyen européen n'est pas plus mal loti qu'une marchandise ! Lui aussi a le droit de circuler librement à l'intérieur de la Communauté, et ce, théoriquement, depuis le traité de Rome. (Je dis ça parce qu'Europe m'énerve à placer sur le même plan les hommes et les marchandises.) Qu'il veuille jouer au touriste, travailler, étudier, s'établir – seul ou en famille –, un Européen rencontre de moins en moins de barrières.

Comme 370 452 000 d'Européens, exigez l'authentique article 48 du traité de Rome

«La libre circulation des travailleurs est assurée à l'intérieur de la Communauté (...). Elle implique l'abandon de toute discrimination, fondée sur la nationalité, entre les travailleurs des États membres, en ce qui concerne l'emploi, la rémunération et les autres conditions de travail.»

Carte d'identité ou passeport européen de couleur bordeaux en poche, il peut se balader librement à travers quinze pays. Dans les aéroports, couloirs et guichets réservés lui évitent toute formalité. Enfin, normalement... Depuis le 1er janvier 1993, les contrôles d'identité aux postes-frontières ont été supprimés, mais les «contrôles-surprises» ne sont pas rares. Les raisons évoquées : lutte contre le trafic de drogue, le terrorisme. Avec les accords de Schengen (du nom d'une ville du Luxembourg), neuf pays de l'Union ont voulu aller plus loin en visant vraiment «l'Europe sans frontières»... Raté !

La tête de l'emploi

En tant que Rhogonien, je suis considéré comme un étranger dans l'Union. Pas évident pour moi de trouver un boulot. Par contre, rien n'empêche un citoyen européen de chercher un travail dans un autre pays que le sien. S'il en trouve un, il obtient une «carte de séjour» valable 5 ans et renouvelable. S'il décide, un jour, de retourner dans son pays, on tient compte des cotisations versées dans le pays d'accueil pour calculer sa retraite... mais il devra remplir des dizaines de formulaires : E 101 ou 102, E 301 ou E 401 ? Surtout ne pas oublier l'indispensable E 123 !

ACCORDS
DE SCHENGEN
Comédie en 3 actes
sur un texte de l'Union européenne
avec l'Allemagne, la Belgique, l'Espagne, la Grèce, l'Italie, le Luxembourg, les Pays-Bas, le Portugal et, en vedette, la France.
Acte I : Nos neuf héros veulent créer un espace de liberté totale de circulation. Ils signent entre 1985 et 1990, les accords de Schengen prévoyant la fin de tous les contrôles d'identité aux frontières, une coopération judiciaire et policière renforcée, la mise en place d'un système informatique d'information pour que les polices nationales puissent repérer les trafiquants ou les terroristes.
Acte II : Ces accords sont appliqués en principe depuis mars 95.
Acte III : Cela ne marche pas. La France annonce qu'elle maintient ses contrôles aux frontières à cause des attentats et du manque d'efficacité des polices des autres pays pour lutter contre le trafic de drogue.
RIDEAU

Travailler n'importe où dans la Communauté est donc possible... quand on est salarié. Plutôt difficile quand on est artisan ou commerçant et assez compliqué si l'on exerce une profession libérale comme avocat, médecin, architecte...

SIÈGES RÉSERVÉS

Les emplois dans la police, l'armée, la diplomatie, la magistrature et l'administration fiscale sont exclusivement réservés aux nationaux.

Prière de ne pas s'asseoir sur cet avis.

En théorie, plusieurs directives européennes assurent la reconnaissance mutuelle des diplômes au niveau bac + 3, mais les formations d'un pays à l'autre ne sont pas toujours équivalentes. Résultat des courses : pas mal d'obstacles à surmonter avant de faire carrière à l'étranger et, en premier, trouver du boulot.

ET VOUS AVEZ BEAUCOUP DE CHÔMEURS ?
DES CHÔMEURS ! TRÈS PEU, DES DEMANDEURS D'EMPLOIS SURTOUT.

Du souci dans le social

Question «social» donc, Europe marche sur des œufs. Sujet sensible. Problème épineux. Domaine difficile. Certainement l'un des moins aboutis de l'Union. Comment faire pour que les citoyens bénéficient d'une sécurité sociale s'ils changent de pays ? Comment protéger l'égalité des nationaux et des non-nationaux face à l'emploi ? Comment harmoniser les droits syndicaux d'un pays à l'autre ? Et surtout, comment se débrouiller avec dix-sept millions de chômeurs dans la Communauté ?

> RÉSULTAT D'EXAMEN DE CHÔMEURS
>
> 1er : l'Espagne
> 2e : la Finlande
> Avant dernier : l'Autriche
> Dernier : le Luxembourg

Les textes, les lois, les règlements ne manquent pas mais les problèmes sont loin d'être résolus.

Au niveau des grands principes, tout est parfait : harmonisation des différentes réglementations sociales, définition des règles générales applicables par tous, concernant les droits syndicaux, les licenciements, les normes de sécurité et d'hygiène pour les lieux de travail (par exemple, des textes précisent les conditions d'emploi des ordinateurs : taille des écrans, durée maximale d'utilisation pour ne pas fatiguer les yeux, forme des sièges, etc.).

En 1989, une Charte communautaire des droits sociaux fondamentaux a complété ce dispositif. Jusque-là, tout allait bien. Mais le Royaume-Uni, considérant que la politique sociale était une affaire avant tout nationale, a refusé de signer ce texte.

Les autres pays n'ont pas renoncé et ont décidé, par l'intermédiaire du traité de Maastricht, que tous les États devaient appliquer les grands principes de la Charte sociale. Tous, sauf... le Royaume-Uni !

TÉLÉGRAMME

Centre de messagerie de l'Europe

PAGE 1

Prière à tout industriel pays membres respecter conditions suivantes. Stop. Vérification solidité bâtiments. Stop. Interdiction emploi matériaux dangereux comme plomb ou amiante. Stop. Modernisation installations électriques et sanitaires. Stop. Installation issues de secours et système détection incendie. Stop. Amélioration aération locaux. Liste complète suit. Stop. Exécution. Stop. Signé : Union européenne.

FIN

Ce n'est pas tous les jours dimanche !

Europe me résume les ambitions sociales de la Communauté : 48 heures de travail hebdomadaire et 11 heures de travail continu au maximum ; 1 jour de repos obligatoire par semaine ; 4 semaines de congés payés par an. Dans les faits, même un extraterrestre peut constater que les législations du travail sont encore très différentes selon les pays. Au Danemark, par exemple, il n'existe pas de durée légale du travail, alors qu'en France, elle est de 39 heures maximum. Pour les chômeurs, les allocations varient considérablement en fonction des États, et il n'est pas toujours possible de conserver ses indemnités quand on s'installe dans un autre pays que le sien.

«À travail égal, salaire égal» est un slogan très répandu dans toute la Communauté, m'explique Europe. L'Union a exigé le respect de l'égalité entre

les hommes et les femmes. C'est même un des principes du traité de Rome – sans cesse réaffirmé par des directives et par la Cour de justice. Pourtant, les femmes restent défavorisées, et leur salaire est, en moyenne, inférieur de 10 à 20% à celui des hommes.

Dans le domaine social, l'Union a ses limites, soupire Europe. Il faut dire qu'il y a tant de problèmes à l'intérieur de chaque pays, de disparités, d'intérêts divergents, de points de vue différents que la politique sociale européenne n'est pas des plus simples à régler.

Néanmoins, la Communauté développe des moyens d'actions – financées sur le budget européen – pour faire respecter ses orientations : la lutte contre le chômage des jeunes, l'amélioration des conditions de vie et de travail... Ce n'est tout de même pas rien.

A la Charte communautaire des droits sociaux fondamentaux.

Menu

Amélioration des conditions de vie et de travail

Droit à un salaire équitable

Droit à une protection sociale suffisante

Droit à la formation professionnelle

Égalité hommes-femmes au travail

Un café

L'addition

CHÈQUE-CADEAU

BON POUR UNE DISTRIBUTION DES EXCÉDENTS AGRICOLES AUX RESTOS DU CŒUR ET AUTRES ASSOCIATIONS HUMANITAIRES.

DON DE L'UNION EUROPÉENNE.

Du consommé pour 15

Entendant mon estomac crier misère, Europe a le bon goût de m'inviter à déjeuner. Elle me le garantit : tout est «fabriqué en Europe» et bon pour ma santé. L'Union défend celle de ses consommateurs. Qu'il s'agisse des produits alimentaires, des cosmétiques ou des médicaments.

Par exemple, de nombreuses directives réglementent : l'utilisation des colorants ; des agents conservateurs ; des hormones pour le bétail ; des pesticides dans les fruits, les légumes et les céréales. Les produits sont testés en laboratoire ; l'Agence européenne d'information sur la consommation, installée à Lille, renseigne les citoyens.

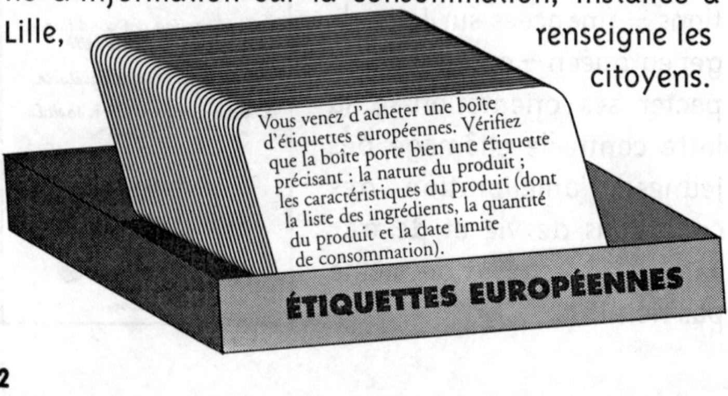

Vous venez d'acheter une boîte d'étiquettes européennes. Vérifiez que la boîte porte bien une étiquette précisant : la nature du produit ; les caractéristiques du produit (dont la liste des ingrédients, la quantité du produit et la date limite de consommation).
ÉTIQUETTES EUROPÉENNES

C'est du propre !

Je ne sais pas si c'est pour m'ouvrir l'appétit, mais Europe me soutient que l'Union fourre son nez dans les poubelles et demande aux industriels de mieux respecter l'environnement !

Consigne : utiliser des produits recyclables. Depuis 1993, un éco-label européen (une fleur en forme de E entourée des étoiles européennes) désigne les articles les moins polluants. On peut le trouver sur des machines à laver le linge, la vaisselle et même sur du papier-toilette ! Les Européens sont incités à rouler propre : pots d'échappement catalytique, essence sans plomb, etc., font désormais partie des normes européennes.

À VUE DE NEZ ÇA PUE

Ouf ! On respire et moi j'en profite pour attaquer mon assiette. Quant à Europe, elle en remet une louche.

«Si je vous disais, Glops, que les petits citoyens

européens peuvent s'amuser en toute sécurité car l'Union veille sur leurs jouets.»

Depuis 1993, un nombre croissant de produits en tout genre portent le sigle CE suivi des deux derniers chiffres de l'année et du symbole d'identification de l'organisme qui l'a testé. Ce n'est pas seulement pour le *fun*. Ce sigle est une garantie de qualité et de sécurité.

Tandis que je me ressers copieusement, Europe me le jure : l'Union défend les intérêts économiques des consommateurs en s'attaquant à la publicité mensongère et en obligeant toutes les entreprises à avoir un service après-vente. Elle réglemente également les crédits à la consommation pour

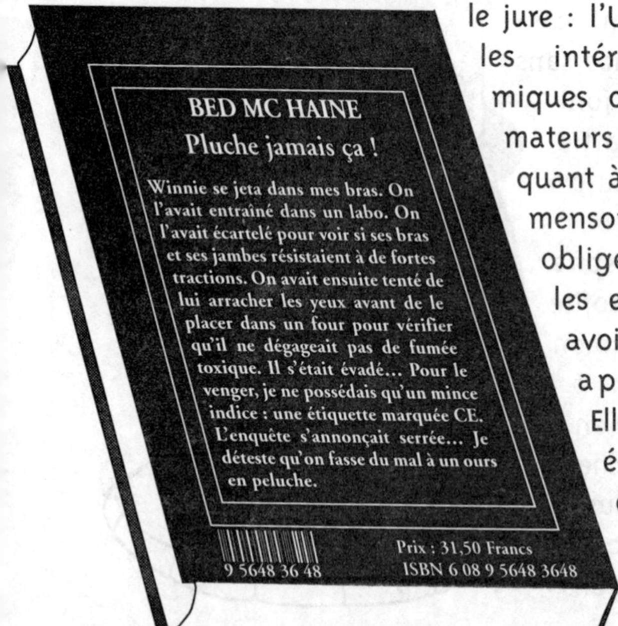

BED MC HAINE
Pluche jamais ça !
Winnie se jeta dans mes bras. On l'avait entraîné dans un labo. On l'avait écartelé pour voir si ses bras et ses jambes résistaient à de fortes tractions. On avait ensuite tenté de lui arracher les yeux avant de le placer dans un four pour vérifier qu'il ne dégageait pas de fumée toxique. Il s'était évadé... Pour le venger, je ne possédais qu'un mince indice : une étiquette marquée CE. L'enquête s'annonçait serrée... Je déteste qu'on fasse du mal à un ours en peluche.
9 5648 36 48
Prix : 31,50 Francs
ISBN 6 08 9 5648 3648

interdire les taux excessifs et obliger les sociétés à bien préciser tous les détails du remboursement.

Pas bête !

Entre la poire et le fromage, Europe m'ouvre de nouvelles perspectives. Il n'y a pas que les marchandises et les personnes qui circulent librement. Les idées et les connaissances aussi courent les rues de la Communauté. Éducation, recherche, art, culture... Tout ce qui est malin est au rendez-vous. L'Union européenne a multiplié les initiatives : directives, programmes d'actions, manifestations... C'est fou comme je me cultive !

GRANDS MAGASINS DE L'EUROPE DES ARTS ET DE LA CULTURE
CATALOGUE DE VENTE PAR CORRESPONDANCE

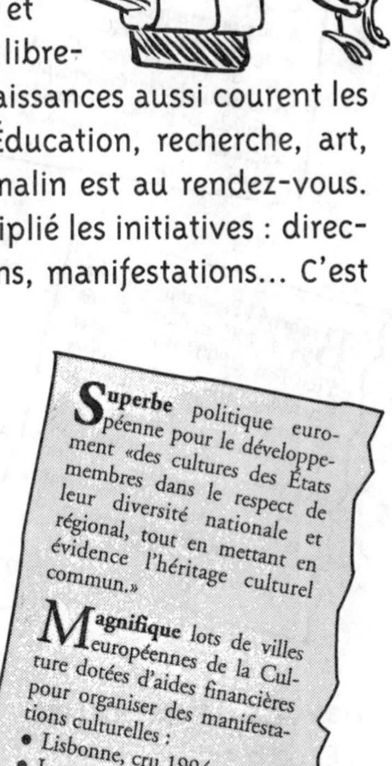
Superbe politique européenne pour le développement «des cultures des États membres dans le respect de leur diversité nationale et régional, tout en mettant en évidence l'héritage culturel commun.»
Magnifique lots de villes européennes de la Culture dotées d'aides financières pour organiser des manifestations culturelles :
• Lisbonne, cru 1994,
• Luxembourg, cru 1995,
• Copenhague, cru 1996,
• Salonique, cru 1997.

Grand arrivage de «mois culturels européens» organisés dans des villes européennes situées en dehors de l'Union.
Disponible en magasin :
Cracovie, Budapest, Prague…

Crédit spécial «restauration des monuments historiques».
À ne pas manquer : programme Raphaël.
Près de 67 millions d'écus pour multiplier les événements culturels, en particulier dans le cadre de la fête de l'Europe, le 9 mai.

Exclusif ! Aides à la traduction de livres dans toutes les langues européennes y compris le basque, le catalan, l'alsacien ou le breton. Nombreux prix littéraires et cinématographiques.

Nouveau ! Formidable «télévision de l'avenir». Immense système numérique et interactif : un seul câble pouvant transporter 500 chaînes regardées sur des écrans 16/9e. Options chaînes et satellites avec près de 200 canaux.

Branché ! Programme Média 95 : 400 millions d'écus d'ici l'an 2000 afin d'aider financièrement la réalisation et la distribution de coproductions européennes pour la télé ou le cinéma. Inclus : participation aux frais de doublage, à l'écriture de scénarios et à la formation professionnelle des métiers de l'audiovisuel.

En prime à nos fidèles clients, un abonnement à Eurosport et Euronews.

Importantes réductions sur présentation de la CARTE JEUNES

Devoirs de vacances

Et ce n'est pas fini !

«Onze langues officielles ! Quarante langues parlées dans quinze pays ! Il faut être polyglotte comme moi pour se faire comprendre.» s'exclame Europe.

L'Union a demandé aux États de promouvoir l'enseignement des langues dans le secondaire. Les résultats, particulièrement peu brillants en France, sont très inégaux.

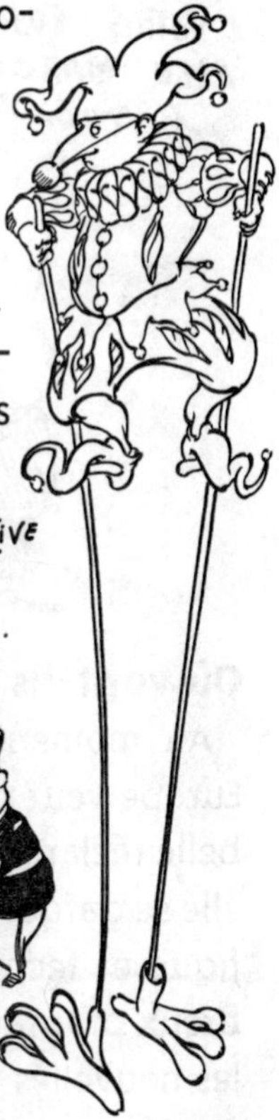

Il existe plusieurs programmes visant à encourager les étudiants à aller poursuivre leurs études dans un autre pays européen : Erasmus, Lingua et, aujourd'hui, Socrate. Reconnaissance mutuelle des diplômes et aides financières à la clé. Pourtant, près de 30% des jeunes Européens n'ont jamais quitté leur pays natal.

IL DOIT BIEN Y AVOIR UNE DIRECTIVE EUROPÉENNE QUI RÉGLEMENTE CE TYPE D'ACTIVITÉ...

Il y a encore du travail à faire pour améliorer les échanges culturels et scolaires. Allez ! On se bouge !

QUINTÉ +

COURSE DE LA LANGUE LA PLUS PARLÉE DANS L'UNION EUROPÉENNE

1er : l'anglais (36%) ; 2e : le français (26%) ; 3e : l'allemand (19%) ; 4e : l'italien (13,6%) ; 5e : l'espagnol (13%).

Ceux qui ne parlent aucune langue étrangère ont intérêt à s'y mettre au trot.

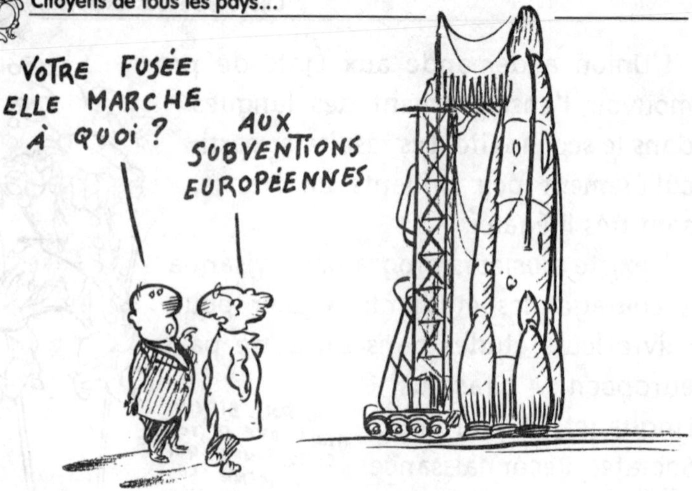

Où vont-ils chercher tout ça ?

Au moment de quitter la table, je ne sais pas si Europe veut m'en mettre plein la vue mais, après une belle réclame sur la culture et l'éducation européenne, elle se gargarise maintenant de la coopération scientifique et technologique au sein de l'Union. De nombreux programmes spécifiques — comme EUREKA pour les nouvelles technologies —, tous plus «sioux» les uns que les autres. Les grosses têtes de la Communauté planchent de concert sur les techonologies de l'information, de l'industrie, de l'énergie, de l'environnement.... J'ai le QI qui explose.

Europe m'achève avec un budget de 336 millions d'écus pour la recherche médicale et des programmes spéciaux de lutte contre le cancer, le sida, la toxicomanie...

Je ne veux pas être vexant mais, en tant qu'extra-terrestre, je ne peux m'empêcher de sourire quand elle m'énumère le programme spatial européen. Fusée Ariane ; sonde spatiale Giotto lancée à la rencontre de la comète de Halley ; satellites Météosat suivant les cyclones et analysant les évolutions des océans ; coopération avec les Russes et les Américains ; astronautes de l'Agence spatiale européenne en orbite autour de la Terre...

Bon, en attendant que l'Union trouve des budgets pour pouvoir aller plus loin, parlons d'autre chose...

BREF
ON BOSSE

On verra ça demain

Europe est très prévoyante. Sachant que j'allais lui poser des questions sur l'avenir de l'Union, elle sort les derniers plans des Quinze et me met une carte sous les yeux. Puis elle pointe un doigt sur les Pays-Bas, visant précisément Maastricht, une ville où, en 1992, fut signé un fameux traité précipitant la marche de l'Union. On quitte le rayon bricolage, direction les grands chantiers.

Soucieuse de m'informer complètement, Europe me précise que la ratification du traité n'a pas été sans soulever un énorme débat dans la Communauté. Il n'y a pas un pays où les «pro-» et les «anti-» Maastricht ne se soient empaillés.

Finalement, le «oui» l'a emporté partout mais de justesse.

Le débat est loin d'être terminé, mais c'est parti pour Maastricht.

RÉFÉRENDUM

Le 20 septembre 1992

«Approuvez-vous le projet de loi soumis au peuple français par le président de la République autorisant la ratification du traité sur l'Union européenne ?»

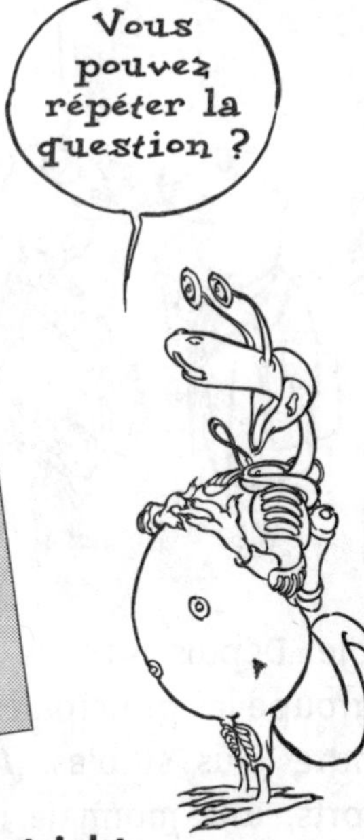

Maastricht, Taastricht, Saastricht

Méthodique, Europe me démontre qu'une machine conçue pour six personnes ne fonctionne plus très bien pour quinze. Le traité de Maastricht avait déjà prévu d'améliorer le fonctionnement des institutions européennes : plus de pouvoir pour le Parlement, procédure de vote plus facile pour le Conseil des ministres et, pour couronner le tout, renforcement des relations entre toutes les institutions.

Passage à la caisse

ÉLEVONS LE DÉBAT
ASSEZ PARLÉ D'ARGENT
CAUSONS ÉCU.

Les institutions, c'est sympa, mais franchement, l'argent, c'est plus excitant. Europe se veut convaincante. Avec l'augmentation des échanges commerciaux entre les pays de l'Union, la coopération monétaire est devenue indispensable. Depuis 1979, le Système monétaire européen regroupe les principales monnaies pour tenter de les rendre plus stables. Afin de les aider dans leurs efforts, une monnaie commune sert de référence : l'écu. Chaque monnaie nationale possède une valeur stable en écu. Les États, les entreprises peuvent payer leurs achats avec cette unité monétaire. Pas les particuliers.

Plus fort que l'écu, le Traité propose la création d'une véritable monnaie unique. Au début de l'année 2002, l'euro devrait remplacer les monnaies de certains pays membres. Pas la peine de chercher un meilleur sujet de controverse, on ne parle que de ça !

1 écu ≃
7 francs français

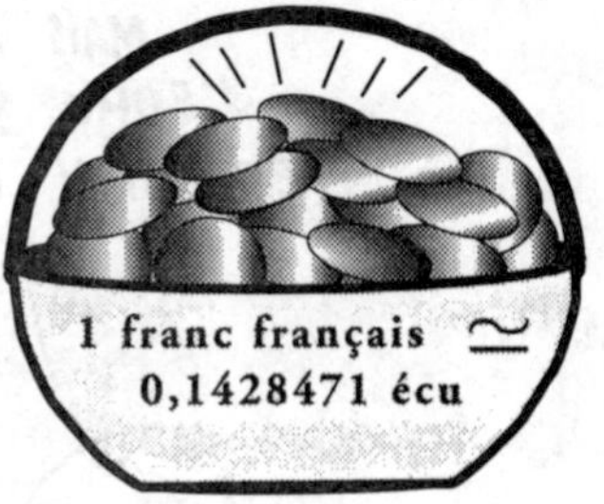
1 franc français ≃
0,1428471 écu

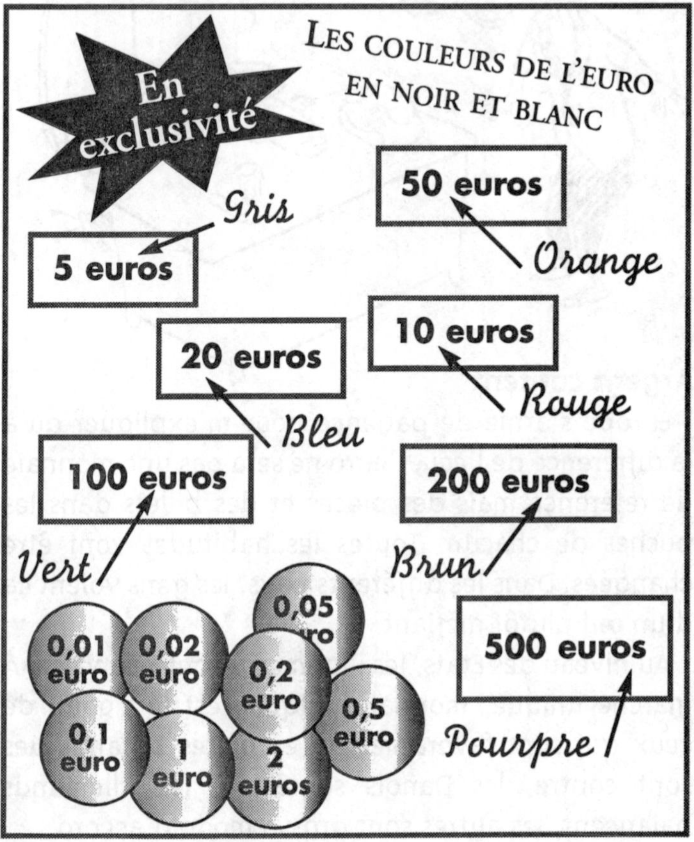
En exclusivité
LES COULEURS DE L'EURO EN NOIR ET BLANC
50 euros
Orange
Gris
5 euros
10 euros
20 euros
Rouge
Bleu
100 euros
200 euros
Vert
Brun
0,05 euro
0,01 euro
0,02 euro
0,2 euro
500 euros
0,5 euro
0,1 euro
1 euro
2 euros
Pourpre

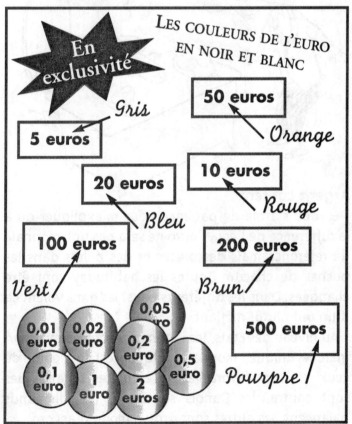

MAIS ALORS
L'EURO ÇA FAIT
COMBIEN EN ÉCU ?
LÀ
JE CRAQUE

Argent content

Europe s'arme de patience pour m'expliquer qu'à la différence de l'écu, l'euro ne sera pas une monnaie de référence mais des pièces et des billets dans les poches de chacun. Toutes les habitudes vont être changées. Dans les différents pays, les gens voient ça d'un œil plutôt méfiant.

Au niveau des États, les jugements sont nuancés. «À marché unique, monnaie unique» est le slogan de ceux qui sont favorables à l'euro. Les Britanniques sont contre, les Danois se tâtent, les Allemands balancent, les autres sont grosso modo d'accord...

Parce que l'euro est indispensable pour :

★ accompagner le développement des échanges commerciaux entre les pays membres de l'Union, faciliter la vie des entreprises, faire gagner du temps et de l'argent ;

★ concrétiser l'intégration économique et financière des États ;

★ permettre à l'Union de renforcer sa puissance économique dans le monde et lutter contre le «dieu dollar» ;

★ faciliter un rééquilibrage entre la monnaie allemande, la plus forte, et les autres monnaies européennes.

JE VOTE POUR L'EURO

Parce que l'euro :

★ est une grave atteinte à l'un des grands symboles de la souveraineté des États ;

★ ne sera adopté que par les pays économiquement forts et va créer une Europe à «deux vitesses» qui ruinera la solidarité des États dans l'Union ;

★ est inutile et que l'écu est bien suffisant ;

★ va donner encore plus de puissance à la monnaie allemande.

JE VOTE CONTRE L'EURO

Argent pas content

De toutes manières, m'avertit Europe, n'adopte pas l'euro qui veut. Si un État ne respecte pas les «critères de convergence», c'est-à-dire un niveau de santé économique fixé d'avance, tintin !

Pour atteindre ces fameux critères (une barre fixée très haute), la France, comme tous ses petits copains, doit limiter son déficit budgétaire. En clair : il faut dépenser moins. Cela ne sera sans doute pas sans conséquences sur la politique sociale. Bref, au-delà du problème économique, l'euro est un vrai casse-tête politique.

Passe à ton voisin

C'est bien ce que je pensais, les Terriens ne pensent qu'à l'argent ! Europe ne s'en laisse pas conter.

Les pays membres souhaitent aussi mettre en place une coopération dans les domaines de la justice et des affaires intérieures. En effet, on parle de la libre circulation des citoyens européens, mais qu'en est-il des autres ? Toutes les personnes qui vivent dans l'Union ne sont pas nées dans l'un des quinze pays membres. Pour améliorer la libre circulation de ces «ressortissants non communautaires», les États doivent essayer d'harmoniser leur politique d'immigration et de droit d'asile.

Certes, ils ne bénéficient pas des mêmes droits que les citoyens de l'Union mais, théoriquement, une fois entrés dans le territoire de la Communauté, ils doivent pouvoir circuler librement.

Conséquence, les Quinze doivent trouver un équilibre entre «l'Union forteresse» et «l'Union passoire» tout en respectant les droits de l'homme, bien entendu. Ce n'est pas compliqué, il faut juste résoudre la quadrature du cercle ! Mais comme chaque État a tendance à vouloir trouver une solution en solo, on n'est pas sorti de l'auberge !

SONDAGE

Faut-il tolérer les drogues douces pour mieux limiter les drogues dures ?

«OUI» :

Allemagne, Espagne, Irlande, Italie, Pays-Bas.

«NON» :

Belgique, Danemark, France, Grèce, Luxembourg, Portugal

Europe me rassure. En matière de lutte contre le terrorisme et le trafic de drogue, des progrès sustantiels ont été accomplis avec le projet d'Office européen de police et la création de l'Observatoire européen des drogues et toxicomanies.

Pourtant, tous les États n'ont pas la même attitude face à la drogue. Faut-il faire une distinction entre les «drogues douces» et les «drogues dures» ? Il faudra bien un jour qu'ils se mettent d'accord.

JE PROPOSE QUE NOUS METTIONS LA PROPOSITION DE RIPOSTE TOUT DE SUITE AU VOTE
U.E

Confidentiel défense

Sous le sceau du secret et tout en revêtant une charmante tenue militaire, Europe me révèle que, depuis 1992, l'Union possède une Politique étrangère et de sécurité commune (PESC).

Cinq objectifs prioritaires : la défense des valeurs communes et des intérêts fondamentaux de l'Union ; sa sécurité ; le maintien de la paix et de la sécurité internationale ; le renforcement de la coopération internationale ; le développement de la démocratie et le respect des droits de l'homme. Pour l'instant, le tir n'est pas encore dans la cible.

Par un message codé, Europe me fait comprendre que l'Union a mis en place une coopération systématique entre les États membres. Dans l'idéal, les Quinze discutent et, dans un bel élan d'unanimité, tombent d'accord pour passer à l'action. Toutefois, le plus souvent, les Quinze discutent et, dans un bel élan d'unanimité, ont bien du mal à faire quoi que ce soit. Qu'il s'agisse de la guerre en ex-Yougoslavie ou des troubles en Albanie, l'Union n'a guère brillé par ses interventions. En fait, il ne suffit pas de prendre une décision, encore faut-il avoir les moyens de l'appliquer ! Par exemple, l'Union européenne a voté plusieurs actions pour envoyer de l'aide humanitaire aux populations assiégées de Sarajevo.

«Mais à quoi cela peut-il servir s'il est impossible, la plupart du temps, de faire parvenir cette aide sur le terrain ?» soupire Europe.

Comme je n'ai pas de réponse, elle hausse les épaules.

Impeccablement rangés au garde-à-vous, les Quinze prévoient qu'un jour, le «moment venu», ils aboutiront à une défense commune... Repos les gars.

RARISSIME

Collectionneur cède accords des Quinze pour une action commune dans le cadre de la PESC. Deux pièces très recherchées :
1 : accords de 1994 pour limiter les échanges commerciaux avec le régime dictatorial haïtien ;
2 : accords de 1995 pour soutenir financièrement les élections en Palestine.
Faire offre au journal.

En rang par 12 !

J'empêche à grand-peine Europe de sonner le clairon. Pour parvenir à une défense commune, l'Union a décidé de remobiliser un vétéran de la classe 47, une vieille organisation de coopération militaire mise au placard en 1954 pour cause d'inutilité totale : l'Union de l'Europe occidentale. Dotée d'un ordre de mission tout neuf, l'UEO rassemble aujourd'hui tous les pays de l'Union européenne sauf le Danemark, la Grèce et l'Irlande.

ORDRE DE RÉQUISITION

L'UEO est chargée par le traité de Maastricht de mettre en application les actions communes décidées par les pays membres.

MISSION : indiquer aux États membres les dispositions à prendre pour intervenir militairement.

OBSERVATION : pas de force armée à sa disposition.

ORGANISATION : est gérée par une Assemblée parlementaire, un secrétariat et un Conseil formé des ministres de la Défense et des Affaires extérieures des pays membres.

Très martiale, Europe me répète les ordres : l'UEO doit devenir le «bras armé» de la communauté. Pour l'instant, le bras est ankylosé. D'un côté, il est censé mettre en œuvre les décisions communes des Quinze, – ce qui n'est déjà pas évident –, de l'autre, il doit agir comme une sorte de défense européenne mais sans limiter la souveraineté des États ou les engagements de certains à l'égard de l'OTAN (l'organisation de défense occidentale sous autorité américaine).

Moralité : ça coince !

Copains de chambrée

Je dois prendre du galon car Europe me fait passer en revue l'Eurocorps, une brigade de 45 000 hommes.

À son origine, en 1992, elle était composée de soldats français et allemands. Aujourd'hui, elle rassemble également des Belges, des Espagnols et des Luxembourgeois.

Un peu plus loin, l'Eurofor, une force terrestre d'action rapide, regroupe des Français, des Espagnols et des Italiens. 10 000 hommes en tout. Rompez.

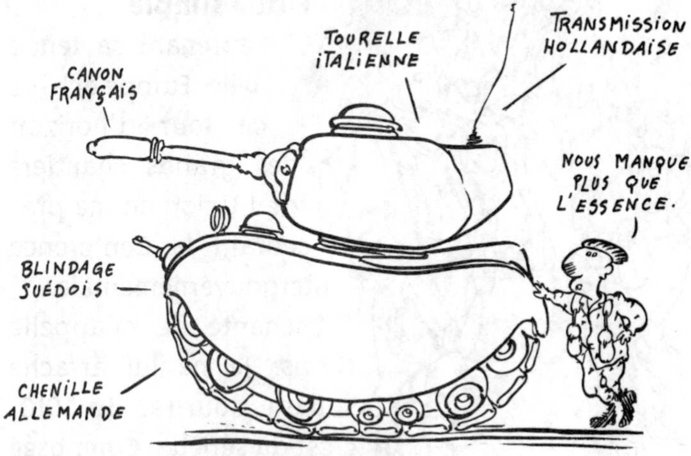

Opération chacun pour soi

Après avoir longuement salué ces deux corps d'armée, Europe me fait observer qu'ils constituent en quelque sorte les premiers pas vers une future défense commune. Mais, pour l'instant, les débuts de la PESC ont plutôt été du genre «décevant».

UN POUR TOUS
ET CHACUN POUR SOI

Au lieu de jouer collectif, chacun joue «perso» en privilégiant sa tradition diplomatique et ses intérêts politico-militaires. Ce n'est pas demain la veille que l'Union sera capable de se débrouiller comme un vrai petit soldat.

Futur simple

Reprenant sa tenue civile, Europe achève ce tour d'horizon des grands chantiers de l'Union en me présentant la Conférence intergouvernementale.

Enchanté, je m'appelle Glops. Je ne lui arrache aucun sourire. La CIG, c'est du sérieux. Composée des chefs d'État et de gouvernement de l'Union, elle a pour fonction de réviser les grands projets du traité de Maastricht en corrigeant les déséquilibres constatés. Réunissant régulièrement les responsables des pays membres, la CIG traite les grands dossiers en suspens.

Si la CIG comptait se tourner les pouces, c'est raté. Et la modification des institutions européennes ! Et l'harmonisation de leurs relations avec les États ! Qui va s'en occuper ? D'autant qu'il y a encore quatre fers au feu : rendre l'Union plus proche des citoyens ; mettre en place une véritable défense commune ; préparer la mise en œuvre de l'euro ; réfléchir sur un nouvel élargissement de la Communauté.

L'Union verra ça demain...

Planète Monde

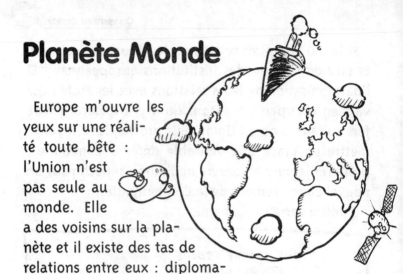

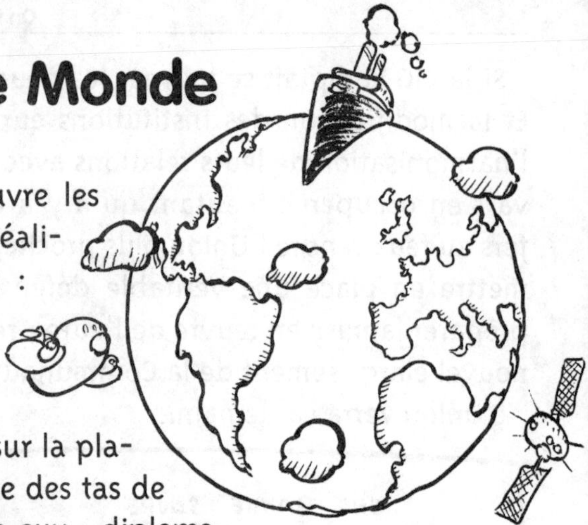

Europe m'ouvre les yeux sur une réalité toute bête : l'Union n'est pas seule au monde. Elle a des voisins sur la planète et il existe des tas de relations entre eux : diplomatiques, militaires et surtout économiques. Car, si je comprends bien les habitudes terrestres, les échanges commerciaux priment tout.

Justement, dans le domaine du commerce, l'Union occupe la première place dans les échanges internationaux. Ce succès de la «première puissance commerciale mondiale» a été accompagné par un important développement des échanges entre les pays membres de l'Union — résultat de la «préférence communautaire» et du grand Marché unique, instauré en 1993.

Au-delà de ses frontières, l'Union joue aussi un rôle important dans le commerce mondial. Conséquence immédiate : elle est très dépendante de ses échanges avec le reste du monde. Elle importe près de la moitié de son énergie et 75% de ses matières premières.

Retour de l'oncle Sam

Familièrement, Europe me présente le fameux oncle Sam qui symbolise les États-Unis, le premier partenaire commercial de l'Union. Entre les Quinze et oncle Sam, il y a du rififi dans l'air. Européens et Américains s'accusent mutuellement de protectionnisme, c'est-à-dire de subventionner leurs produits pour les rendre moins chers. Cela ne les empêche pas de conclure des accords et de faire des efforts pour trouver des solutions à leurs incessantes bagarres qui concernent surtout les produits agricoles, la sidérurgie et l'industrie aéronautique.

Recherche par thèmes :
Guerre économique USA - Union européenne.
5 références trouvées.

Guerre du téléphone : les États-Unis accusent les Européens de fausser le jeu de la concurrence internationale en donnant une aide financière aux exploitants agricoles de l'Union. En riposte, les États-Unis ont décidé, en 1985, de subventionner leurs exportations de céréales pour prendre des parts de marché aux Européens, en particulier au Moyen-Orient.

Guerre des avions : en 1988, les Européens ont adopté une directive interdisant l'importation de bétail traité aux hormones. Les États-Unis ont protesté devant le GATT et ont menacé de boycotter des produits européens.

Guerre du veau aux hormones : les États-Unis ont adopté en 1983 des mesures de limitation d'importations touchant les produits sidérurgiques européens. Ces produits sont en plus frappés d'une taxe à leur entrée sur le territoire américain (de 5% à 142%).

Guerre des céréales et des oléanigeux : concurrencés par le succès d'Airbus, les constructeurs américains ont demandé au gouvernement de condamner l'Union. Celle-ci a répondu que les États-Unis subventionnaient aussi leur industrie aéronautique.

Je me demande s'il n'y aurait pas comme un léger «bug» dans mon ordinateur !

NOUS SOMMES ARRIVÉS À UN ACCORD ÉQUITABLE APRÈS DES ÉCHANGES VIFS MAIS COURTOIS.
GATT

Don't forget the GATT

En fait, constate Europe, les relations commerciales sont si conflictuelles au niveau mondial, que cent sept pays ont créé en 1947 une organisation internationale, le GATT, chargée de faire respecter les règles du libre-échange par les États et de trouver des solutions à chaque crise commerciale.

Pris à témoin par Europe, je suis forcé d'admettre qu'Européens et Américains sont parvenus à résoudre la plupart de ces problèmes grâce à des négociations menées, entre 1992 et 1995, au sein de ce même GATT.

> **GATT / OMC**
> GENERAL AGREEMENT ON TARIFS AND TRADE
> (Accord général sur le commerce et les tarifs douaniers)
> ORGANISATION MONDIALE DU COMMERCE
> The true Organisation mondiale du commerce
> BUSINESS EN TOUT GENRE

La neige du Fuji-Yama

Sans craindre le décalage horaire, Europe me met en ligne avec le Japon. Drame. L'Union achète plus au Japon qu'elle ne lui vend. Les Européens expliquent ce déficit commercial chronique par le protectionnisme japonais, et les Japonais par un manque de dynamisme des Européens. Il paraît que ça énerve certains pays de l'Union.

La France, par exemple, a tenté de stopper «l'invasion» des magnétoscopes japonais. Résultat : néant.

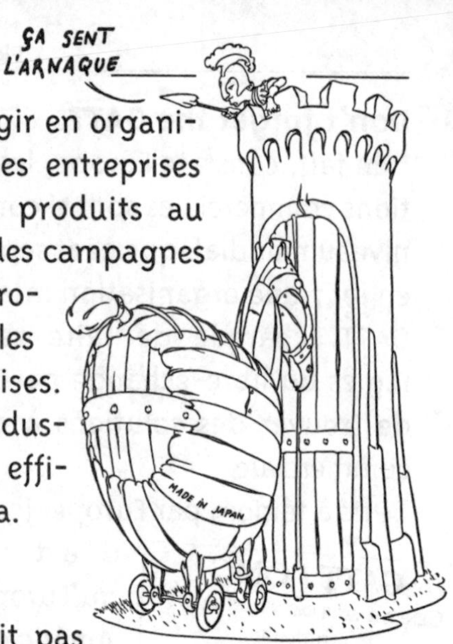

L'Union essaye de réagir en organisant des stages pour les entreprises voulant vendre leurs produits au Japon ou en finançant des campagnes de publicité pour les produits européens dans les grandes villes japonaises. Mis à part quelques industries de luxe, question efficacité, l'Union repassera.

Les parents pauvres

Tout le monde ne fait pas partie du club très sélect des pays riches. La main sur le cœur, Europe me jure que l'Union est le partenaire commercial le plus important des pays en voie de développement. Elle a même institutionnalisé la coopération avec certains, en signant les conventions de Lomé.

Depuis 1975, quatre conventions successives ont mis en place des mécanismes d'échange commercial, d'aide financière et de collaboration politique.

Europe me fait bien noter que la plupart des produits venant de soixante-dix États d'Afrique, des Caraïbes et du Pacifique entrent dans l'Union sans droits de douane. Outre la coopération technique, financière, industrielle et agricole, les derniers accords ont même prévu d'encourager le respect des droits de l'homme et d'interdire que l'on se serve de ces pays comme décharge pour les produits toxiques ou radioactifs.

Bons plans. Mériteraient d'être suivis d'effets.

Deuxième service

Réglo, Europe ne veut oublier personne. Pour les pays en voie de développement qui ne participent pas aux conventions de Lomé, l'Union a prévu d'autres formes de collaboration, dont la plus importante est l'application du Système des préférences généralisées.

En clair, il s'agit de réduire et parfois de supprimer les droits de douane. Près de 80% des importations communautaires en provenance de cinquante-six pays ont été concernées par ce système. Compléments éventuels, une aide alimentaire et des programmes divers : développement agricole et industriel, formation professionnelle, démocratisation, protection de l'environnement.

Au total, entre les accords de Lomé et ce système, cent dix-sept pays du tiers-monde ont conclu des accords avec l'Union.

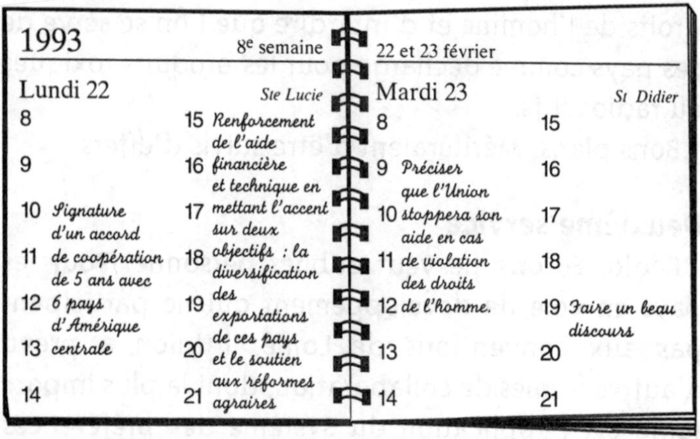

SOS planète battue

Fataliste, Europe m'accorde que parfois, et même trop souvent, les meilleurs mécanismes du monde restent impuissants. Guerres, famines, catastrophes naturelles... Il faut tenter de limiter les dégâts en envoyant de l'aide d'urgence : nourriture, médicaments, tentes...

TU AS REÇU QUELQUE CHOSE DE L'AIDE HUMANITAIRE AUJOURD'HUI ?
OUI DES SKIS

GRAND CONCOURS

La bonne action du mois !

Pour le mois de juin 1990, nos lecteurs ont choisi : l'Union européenne volant au secours des populations iraniennes.
À la suite du violent tremblement de terre en Iran, la Communauté a décidé d'accorder une aide d'urgence de 7 millions de francs à des organisations non gouvernementales déjà en place, pour sauver et reloger les populations. Quatre avions chargés de médicaments, de tentes et de couvertures, ont aussitôt décollé de Paris et de Bruxelles. Un grand bravo à l'Union européenne.
Et tous nos remerciements à la population iranienne pour son aimable participation.

Pour sa part, l'Union contribue pour plus de 50% au budget d'aide aux réfugiés en ex-Yougoslavie et elle épaule les organisations non gouvernementales comme Médecins sans frontières ou la Croix-Rouge. Les besoins sont si grands qu'il a fallu créer, en 1991, un Office européen d'aide humanitaire d'urgence.

BON POINT

L'aide de l'Union (près de 45% de l'aide internationale) est la plus importante du monde.

BON POINT

L'aide au développement représente près de 6% du budget européen.

L'AIDE HUMANITAIRE DE L'UNION

LES 3 GAGNANTS DE L'AIDE COMMUNAUTAIRE

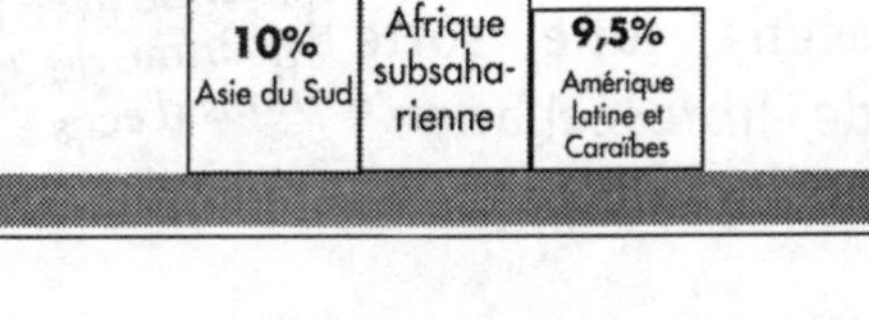

Autoroute du sud

Se tournant résolument vers le sud, Europe m'invite à profiter du soleil.

Vers un prochain mariage ?
En mars 1995, l'Union a signé avec la Turquie un accord d'union douanière applicable à partir de janvier 1996.

L'Union tente aussi depuis longtemps de nouer des relations privilégiées avec les pays méditerranéens. La coopération financière a été renforcée avec les pays du Maghreb (Algérie, Tunisie et Maroc), du Machrek (Égypte, Liban, Syrie et Jordanie) et Israël. Selon Europe, le grand rêve de l'Union serait de créer un «espace économique euro-méditerranéen», une sorte de zone de libre-échange regroupant quarante pays.

Championnat du monde 1994 d'aide aux populations palestiniennes : 1er l'Union européenne avec un programme de 250 millions d'écus !

Les cousins de l'Est

Certaine de son effet, Europe me présente deux cartes du continent. Sur celle qui date des années 60, on voit d'un côté, à l'ouest, une petite Communauté naissante. De l'autre côté, à l'est, un gros bloc soviétique. Entre les deux, un rideau de fer. La seconde carte est toute récente. D'un côté la petite Communauté de l'Ouest a poussé au nord, au sud et à l'est. Elle est devenue une bonne grosse Union. De l'autre côté... Eh bien, justement, il n'y a plus d'autre côté ! Le bloc soviétique a explosé. Finies, les dictatures ! Volatilisé, le rideau de fer ! Écroulé, le mur de Berlin ! Réunifiée, l'Allemagne ! Changement de décor. C'est pas tout ça mais maintenant l'Union doit s'adapter à ce grand chambardement.

ON EST PRIÉ
DE LAISSER
L'UNION EUROPÉENNE
AUSSI RICHE
QU'EN ENTRANT.

Des programmes de coopération avec les pays d'Europe centrale et orientale (PECO) ont été alors mis en place ainsi qu'une banque, la BERD, qui finance des projets de développement dans ces pays et en ex-Union soviétique.

En ce moment sur nos écrans
À l'affiche de 1995 à 2000 :

PHARE

la mégaproduction aux
7 milliards d'écus

CASTING : Russie, Hongrie, Bulgarie, Roumanie, République tchèque, Slovénie, Estonie, Lituanie, Lettonie, Croatie.

SYNOPSIS : s'aventurant à l'est de l'Union, PHARE participe à la reconstruction économique des PECO. Développement d'un secteur privé, éducation, formation professionnelle, aide alimentaire, agriculture, transports et télécommunications, réforme des administrations publiques...

PHARE finance tout !

UN FILM PLEIN DE SUSPENSE

À l'affiche de 1996 à 1999 :

TACIS

la superproduction aux
2,2 milliards d'écus

CASTING : Russie, Ukraine, Kazakhstan, Biélorussie, Arménie, Ouzbékistan, Kirghizistan, Géorgie, Azerbaïdjan, Moldavie, Turkmenistan, Tadjikistan, Mongolie.

SYNOPSIS : s'enfonçant dans les steppes, TACIS participe à la reconstruction économique des pays de l'ex-Union soviétique en finançant des programmes dans l'environnement et la sécurité nucléaire, le développement du secteur privé, la réforme des administrations publiques, l'éducation, l'agriculture, l'énergie, les transports, les télécommunications.

UN FILM ÉMOUVANT

En attraction, tous les soirs sur scène, une exclusivité mondiale :

LA BERD

La Banque européenne pour la reconstruction et le développement vous étonnera en aidant tous les pays bénéficiaires de PHARE et de TACIS.

Elle finance des projets liés à la recontruction et au développement des économies des pays de l'Europe de l'Est. La moitié des aides est réservée à des projets privés.

Depuis sa création, en 1991, elle a soutenu plus de 160 projets.

UNE BIEN BELLE SOIRÉE
EN PERSPECTIVE !

Périphérique est

Tout en me raccompagnant à ma soucoupe volante, Europe me confie qu'en cette année 97 la grande question est de savoir si l'Union doit accepter l'adhésion des pays de l'Est. Et si oui, comment ? Quand ? Lesquels ? Vaste débat.

Jusqu'en 1993, l'Union a zigzagué pour éviter de répondre. D'un côté, elle leur a dit :

«Bravo ! Vous avez éliminé la dictature, vous vous démocratisez, vous adoptez le capitalisme libéral. Nous sommes très fiers de vous. Cela faisait plus de quarante ans que l'on espérait vous revoir parmi nous !»

Un véritable emballement ! Les relations commerciales ont explosé, et l'Union, d'habitude déficitaire, en a profité pour réaliser un excédent commercial record. Les copains de l'Est ont alors demandé à entrer dans l'Union. L'enthousiasme des Quinze s'est subitement refroidi : «Pas de précipitation. Vous devez d'abord avoir de meilleurs résultats économiques.»

Pour les faire patienter, plusieurs ont été admis dans le Conseil de l'Europe, devenu une antichambre de luxe.

MAIS JE PEUX ENTRER ! C'EST L'UNION QUI M'A INVITÉ !
ENTRER, CERTES, MAIS PAR LA PORTE DE SERVICE.

Files d'attente

Lorsque je m'installe dans ma soucoupe, Europe en est arrivé au moment où les Quinze sont critiqués par leurs voisins de l'Est. Ces derniers ont le sentiment d'être abandonnés et ils commencent à douter des bonnes intentions de l'Ouest.

Je boucle ma ceinture et nous voici en 1993, lors d'une réunion du Conseil européen où les chefs d'État et de gouvernement affirment clairement que les pays candidats pourront devenir membres mais… selon des critères d'adhésion assez généraux : institutions stables, respect de la démocratie, des droits de l'homme et de l'économie de marché, sans oublier la capacité de s'adapter aux règles de l'Union.

Dans un premier temps d'accord pour la Pologne, la Hongrie, la République tchèque, la Bulgarie, la Roumanie. Un peu plus tard, les pays Baltes (Lituanie, Lettonie, Estonie) et la Slovénie. Je branche le moteur.

IL DIT QU'IL EST INGOUCHE, UNE SOUS-MINORITÉ SERBO-OUZBEK ELLE-MÊME MINORITÉ IMPORTANTE BOSNO-KIRGHIZE DU SUD-BALKAN.
IL EST EUROPÉEN QUOI.

On se calme !

Europe m'étreint en me répétant qu'une adhésion immédiate n'est pas possible. L'Union n'est pas en état d'accueillir brutalement plus de cent millions de personnes. Sans parler des différences économiques, sociales et politiques. Les écarts de richesse sont énormes : à l'Ouest, le revenu moyen par habitant est trois fois supérieur à celui de l'Est.

Il faut aussi que ces pays règlent leurs difficultés politiques internes et trouvent des solutions aux problèmes des minorités, source de graves tensions nationalistes. Enfin, ils doivent s'adapter aux exigences communautaires et pouvoir un jour appliquer les politiques communes.

À l'est, du nouveau

Avant de me lâcher, Europe veut s'assurer que j'ai bien compris. Une Union à vingt-cinq ou trente n'est pas pour demain. À supposer que cela arrive, il faudrait revoir toute l'architecture de la «Maison européenne». On envisage parfois une communauté à géométrie variable.

Dans un premier cercle : les quinze pays déjà dans l'Union.

Dans un deuxième : les pays de l'Est les plus avancés économiquement.

Dans le troisième : les autres, relégués dans la salle d'attente.

La coopération entre ces trois cercles serait plus ou moins forte selon les domaines. Une sorte d'Union à la carte.

Tandis que ma soucoupe s'élève, j'entends Europe me hurler que fin mars 97 la Russie vient de demander à entrer dans l'Union.

Sur une petite planète bleue à 1 600 années-lumière et quelques parsecs de Rhogon, le plus petit et le plus biscornu des continents continue de s'agiter.

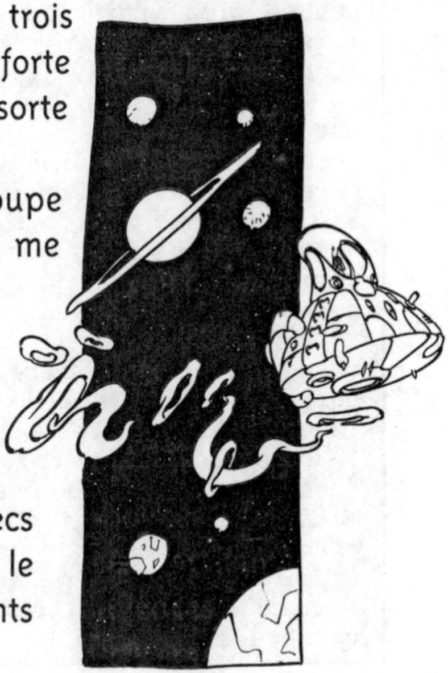

RAPPORT DE MISSION

Chers chefs chéris,

Sans carambouille ni mistouille, je peux vous révéler que l'Union européenne regroupe, pour l'instant, quinze pays. Ce nombre pourrait bien doubler, mais, à vue de nez, ce n'est pas pour demain. Disons, après-demain.

Avant de faire l'Union, les États européens ont fait la guerre. Puis, un beau jour, ils ont décidé de vivre en paix. Mais construire une véritable communauté n'a pas été une mince affaire. D'ailleurs, ça ne l'est toujours pas !

Apparemment, l'union économique est la plus avancée et les Quinze devraient passer à une monnaie unique très bientôt.

Pour ce qui est de l'Europe sociale ou de la défense commune, dans l'immédiat c'est un peu le flou artistique. On en parle beaucoup mais personne ne voit vraiment ce que ça va donner.

Les Quinze sont des démocraties où chacun est libre de dire ce qu'il pense et, notamment, de l'Union. Tout le monde n'en pense pas du bien et elle est souvent sujète à discussions, parfois très polémiques. Autant que je puisse en juger, cela me paraît normal : l'avenir de centaines de millions de personnes est en jeu.

Si mes renseignements sont exacts, c'est quand même la première fois dans l'histoire terrestre qu'autant de nations différentes se lancent dans un tel projet !

Je suis donc volontaire pour retourner y jeter un coup d'œil quand ça vous chantera. Maintenant que j'ai obtenu la libre circulation des soucoupes volantes dans l'Union, la chose me sera facile.

Avec des tas de courbettes respectueuses, votre ultra-dévoué,

La construction européenne en quelques dates

1918, 11 novembre : armistice ; fin de la Première Guerre mondiale.

1919-1920 : la carte de l'Europe est redessinée.

1919 : la Société des Nations est créée.

1925 : conférence de Locarno.

1939-1945 : Seconde Guerre mondiale.

1946, 19 septembre : Winston Churchill fait un discours sur les «États-Unis d'Europe» et sur la création d'un «Conseil de l'Europe».

1947 : début du plan Marshall.

1948 : les bénéficiaires du plan Marshall créent l'OECE ; **mai** : «congrès de l'Europe» à La Haye sous la présidence de Churchill.

1949, 4 avril : signature à Washington du traité de l'Atlantique Nord (OTAN).
mai : création du Conseil de l'Europe.

1950 : déclaration Schuman.

1951, 18 avril : signature à Paris de la Communauté européenne du charbon et de l'acier (CECA).

1952, mai : signature à Paris d'un traité instituant la Communauté européenne de défense (CED).

1954, 30 août : rejet de la CED par l'Assemblée nationale française.

1957, 25 mars : les 6 pays membres de la CECA (France,

Italie, Belgique, Luxembourg, Pays-Bas, Allemagne de l'Ouest) signent à Rome le traité Euratom et celui instaurant la Communauté économique européenne (CEE).

1962 : adoption de la Politique agricole commune (PAC).

1963 : le général de Gaulle dit «non» à l'adhésion du Royaume-Uni.

1973, 1er janvier : le Royaume-Uni, le Danemark et l'Irlande intègrent la CEE (l'Europe des Neuf).

1975 : signature de la convention de Lomé entre la CEE et 46 pays d'Afrique, des Caraïbes et du Pacifique (ACP).

1979 : l'ECU (European Currency Unit) devient l'unité de compte européenne.

7-10 juin : première élection du Parlement européen au suffrage universel.

1981 : adhésion de la Grèce à la CEE.

1986 : adhésion de l'Espagne et du Portugal (Europe des Douze).

17-18 février : signature de l'Acte unique européen à Luxembourg.

1989 : chute du mur de Berlin.

1990 : signature des accords de Schengen.

3 octobre : réunification de l'Allemagne.

1992, 7 février : signature à Maastricht (Pays-Bas) du traité sur l'Union européenne.

20 septembre : référendum de Maastricht en France : 51% des Français disent «oui».

1993, 1er janvier : début du Marché unique.

1er novembre : naissance de l'Union européenne.

1995, 1er janvier : l'Autriche, la Finlande et la Suède adhèrent à l'Union européenne (l'Europe des Quinze).

15-18 décembre : l'euro est choisi comme nom pour la future monnaie européenne.

1999, 1er janvier : la nouvelle monnaie, l'euro, doit être mise en place.

2002, 1er juillet : les monnaies européennes doivent être retirées de la circulation et l'euro doit devenir la seule monnaie.

Petit lexique des sigles

ACP : États d'Afrique, des Caraïbes et du Pacifique signataires de la convention de Lomé
BEI : Banque européenne d'investissement
BERD : Banque européenne pour la reconstruction et le développement
CAEM (ou COMECON) : Conseil d'aide économique mutuelle
CE : Norme de la Communauté européenne
CECA : Communauté européenne du charbon et de l'acier
CED : Communauté européenne de défense
CEE : Communauté économique européenne
CIG : Conférence intergouvernementale
ECHO : European Community Humanitarian Office (Office européen d'aide humanitaire)
ECU : European Currency Unit
FED : Fonds européen de développement
FEDER : Fonds européen de développement régional
GATT (ou OMC) : General Agreement on Tariffs and Trade (Organisation mondiale de commerce)
OECE : Organisation européenne de coopération économique
OTAN : Organisation du traité de l'Atlantique Nord
PAC : Politique agricole commune
PECO : Pays d'Europe centrale et orientale
PESC : Politique étrangère de sécurité commune

PHARE : Pologne-Hongrie. Assistance à la restructuration des économies
SDN : Société des Nations
SME : Système monétaire européen
TACIS : Technical Assistance to the Commonwealth of Independant States
UE : Union européenne
UEO : Union de l'Europe occidentale

À lire

L'Europe racontée aux jeunes, de Jacques Le Goff, Seuil, 1996.

Guide de L'Europe des Quinze, Paris, Nathan, 1995.

Publications du CIDJ (Centre d'information et de documentation pour la jeunesse), 101, quai Branly, 75015 Paris.

Adresses utiles

Sources d'Europe, socle de la Grande Arche, 92054 Paris, La Défense Cedex 61 (01 41 25 12 12).

Commission européenne, 200, rue de la Loi, 1049 Bruxelles, Belgique.

Conseil des Ministres, 170 rue de la Loi, 1048, Bruxelles, Belgique.

Parlement européen (session plénière), avenue de l'Europe, 67006 Strasbourg.

Fondation européenne pour la formation, Villa Gualino, Viale Settimo Severo 65, 10133 Torino, Italie.

Jeunesse pour l'Europe, Institut national de la jeunesse, château du Val-Flory, 78160 Marly-Le-Roy.

À visiter

Le palais de l'Europe à Strasbourg.

Salonique, en Grèce, ville européenne 1997.

Table des matières

Les DocuDéments présentent :

Une collection d'essais humoristiques pour les collégiens, sur tous les sujets du programme

Série Histoire

6ème

Mésopotamie, un brouillon de cultures
Auteur : Sophie Cluzan -
Humoriste : Renaud Alberny -
Dessinateur : David B.
Au cœur de l'Orient, la Mésopotamie a lancé bon nombre de nouveautés pendant dix millénaires : le blé cultivé, la maison ronde, le sanglier domestique, le premier empire et le monothéisme, entre autres.

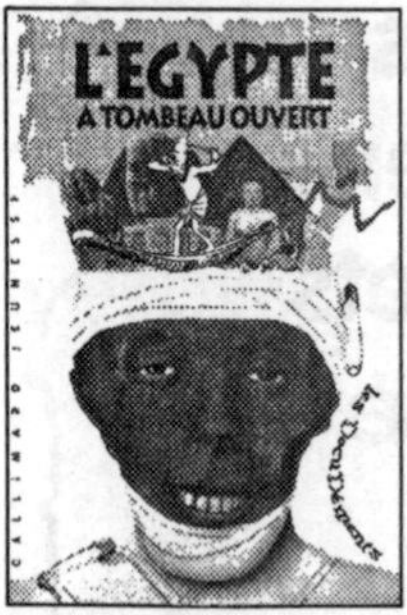

L'Egypte à tombeau ouvert
Auteur : Patricia Rigault -
Dessinateur : Thibaud Guyon
Découvrez le pays de la magie et des pyramides, toute la ménagerie divine, comment se faire une beauté à l'égyptienne, le mode d'emploi des hiéroglyphes et les plus belles histoires de chasse au trésor.

Rome à en perdre son latin
Auteur : Isabelle Didier - **Humoriste :** Laurence Paul - **Dessinateur :** Blutch
Sur les routes de ce vaste empire, rencontrez les Romains des villes et les Romains des champs, bataillez avec les légionnaires et découvrez une belle galerie d'empereurs : les farfelus, les fous et les furieux. En attendant les invasions barbares...

Série Histoire

4ème

De Henri IV à Louis XVI, 4 rois et demi
Auteur : François Godicheau -
Humoriste : Serge Pinchon -
Dessinateur : Vincent Sardon
De Henri IV à Louis XVI, faites la connaissance d'une famille peu banale. Découvrez l'Ancien Régime, ses événements politiques et ses mouvements sociaux avec, en exclusivité mondiale, des extraits inédits du faux journal intime de Louis XIV adolescent...

Napoléon L'Empire, c'est moi
Auteur : Jean-Michel Dequeker -
Humoriste : Christine Géricot -
Dessinateur : O'Groj
Quinze ans qui bouleversèrent l'Europe et marquèrent la France pour longtemps. Le Code civil, c'est lui ! Le baccalauréat aussi... Tous les grands mythes – le pont d'Arcole, le passage du Grand-Saint-Bernard, le sacre – et l'envers du décor. La vérité, rien que la vérité.

À paraître

6ème La Grèce
5ème L'Église au Moyen Âge

Série Sciences

6ème-5ème

La Reproduction ou comment faire des petits
Auteur : Brigitte Dutrieux - **Humoriste** : Jean-Claude Djian - **Dessinateur** : François Lachèze
Tout savoir sur la reproduction animale et humaine : les manières de se reproduire, avec ou sans sexe, de pondre, de naître, de construire son nid et de s'occuper de ses rejetons...

Observer les animaux, œil de lynx et ruses de Sioux
Auteur : Marc Giraud - **Humoriste** : Jean-Claude Djian - **Dessinateurs** : Henri Fellner et Marc Giraud
Qui sont ces drôles de personnages armés de jumelles et de carnets de croquis ? Les naturalistes ! Ils nous dévoilent ici toutes leurs astuces pour l'observation des animaux dans la nature. Préparer sa sortie, surprendre ou attirer les espèces sauvages...

Série Sciences

6ème-5ème

Le Comportement animal, On n'est pas si bêtes
Auteur : Anne Teyssèdre -
Humoriste : Serge Pinchon -
Dessinateur : Thierry Laval
Comment nos amies les bêtes s'orientent, migrent, s'abritent, se nourrissent, se défendent, chassent, se reproduisent et vivent les unes avec les autres. Vaste programme qui vous fera croiser une multitude d'espèces connues ou rares.

4ème-3ème

L'Univers, cosmos toujours tu m'intéresses
Auteur : Claire et Marc Moutin -
Humoriste : Jean Legeay -
Dessinateur : Mauro Mazzari
Visite guidée de l'Univers pour tout savoir sur Sirius et Bételgueuse, les quarks et les photons ! L'occasion de rêver sur la chevelure des comètes... ou bien de réfléchir aux origines des origines, en frissonnant à la rencontre de la théorie du big bang.

À paraître

6ème-5ème Les Insectes
4ème-3ème Les Nombres
4ème Les Origines de l'Homme
4ème-3ème La Chimie
5ème-3ème Le Corps humain

Série Technique

6ème-3ème

Internet, Cyberespace m'était conté
Auteur : Jason Page – **Traducteur** : Aalam Wassef - **Humoriste** : Fernando Worcel - **Dessinateurs** : Paul Daviz et Jean-Philippe Chabot
Comment se connecter, même si l'on ne possède pas d'ordinateur, communiquer avec des interlocuteurs du monde entier, surfer à la recherche d'informations, d'images et de sons... en respectant le code de bonne conduite du parfait petit internaute.

Série Société 

4ème

L'Europe dans tous ses États
Auteur : Ariane d'Appollonia - **Humoriste** : Renaud Alberny - **Dessinateur** : Dominique Boll
CEE, UE, ECU, PAC, PESC, EURO, késako ? De Bruxelles à Strasbourg en passant par Luxembourg et Maastricht, voyagez au cœur de l'actualité pour découvrir et comprendre pourquoi, comment l'Union européene influence notre vie de tous les jours, du passage des frontières à la nourriture que nous mangeons.

4ème-3ème

Aux urnes citoyens
Auteur : Bernard Rullier - **Humoriste** : Laurent Tastet - **Dessinateur** : Manu
Souveraineté, nation, suffrage universel, République, constitution, pouvoirs, Parlement, loi, justice... Vous trouvez ça abstrait, vous ? Écoutez donc le «Président» et son conseiller : ils débroussaillent allègrement les notions les plus rébarbatives, décortiquent par le menu les institutions françaises et dévoilent le dessous des cartes. Sans jamais oublier qu'être citoyen, ça se mérite, ça se cultive et ça se vit !

les DocuDéments

Gallimard Jeunesse

Vraiment dément!